GW00670163

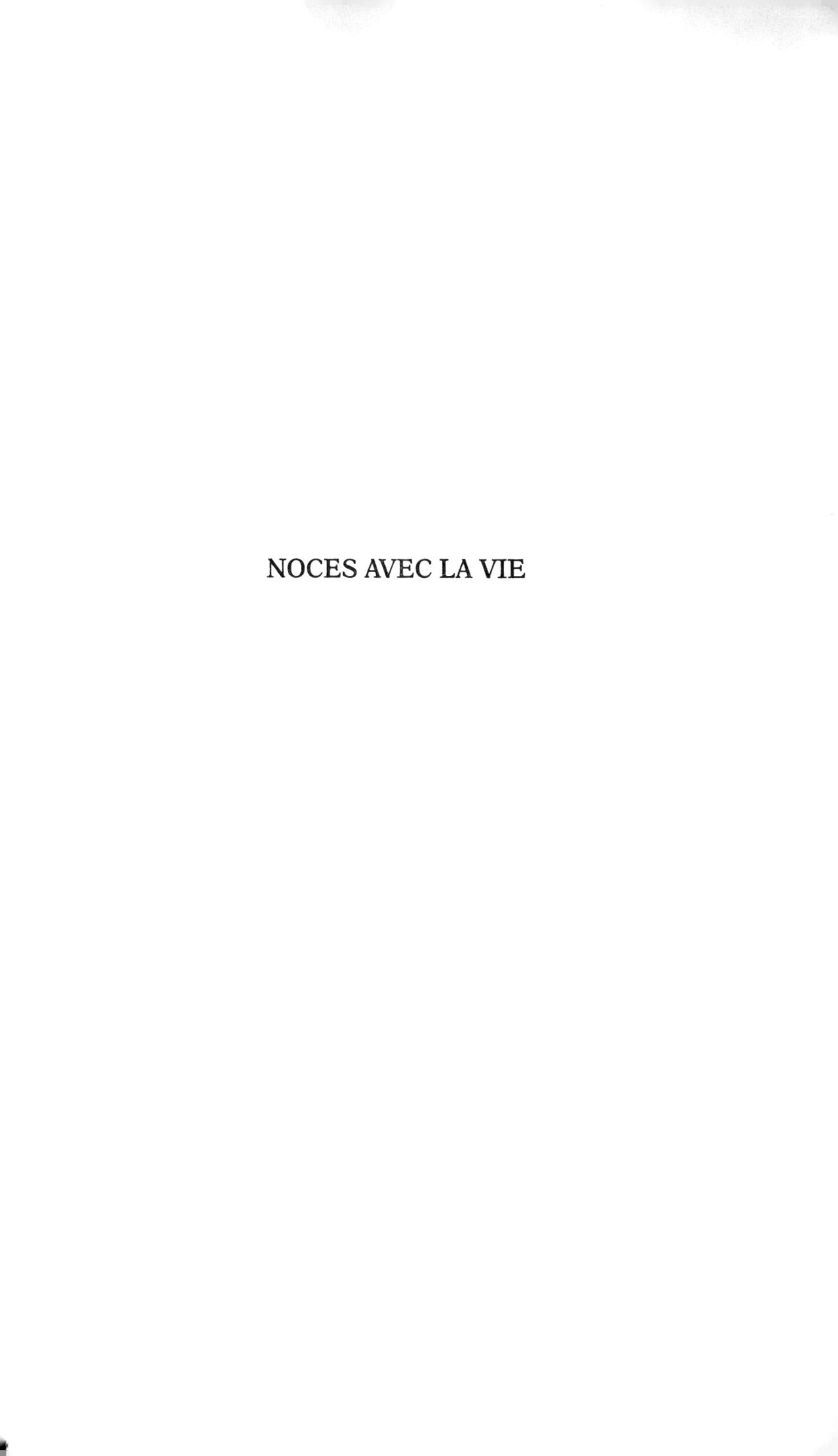

NOCES AVEC LA VIE

DU MÊME AUTEUR

Les ouvrages publiés de Madeleine Chapsal sont cités en fin de volume.

Madeleine Chapsal

NOCES AVEC LA VIE

Fayard

Pour Megève

N'oubliez pas qu'un homme c'est
toute l'époque, comme une vague est
toute la mer...
Mais, je vous le répète, ce que les gens
désirent tous – quelques-uns à leur
insu – c'est d'être témoins de leur
temps, témoins de leur vie, c'est d'être
devant tous, leurs propres témoins.

JEAN-PAUL SARTRE

On n'en finit jamais avec le problème
de la solitude et le désir d'y échapper. Il
me semble que c'est le motif qui régit la
vie des trois quarts des gens, leur
pensée, leur souci, tout... Personne ne
peut admettre, quand il réfléchit, la
nuit, ou à n'importe quel moment, ce
terrible chemin quotidien vers la mort.
– Vous dansez toujours beaucoup ?
– Oui, plus que jamais.

FRANÇOISE SAGAN

J'ai commencé à réfléchir et je me suis aperçue avec une sorte de surprise que la première chose que je devais dire, c'était : je suis une femme.
À vingt ans je pensais qu'il fallait vivre en dehors de tout ; maintenant c'est le contraire.

SIMONE DE BEAUVOIR

Vous ne savez pas ce que c'était, une jeune fille. C'était un être, une créature, il faut bien le dire, tout à fait artificielle ! Très préservée, très surveillée, qui ne lisait pas, ne voyait pas certaines choses, qui ne sortait jamais seule. La mère était toujours présente... Qui ne voyait pas de garçons sans surveillance... Qui ne vivait que dans l'atmosphère de ses parents et qui n'était émancipée en rien... Ce phénomène était uniquement bourgeois. Il a disparu quand la jeune bourgeoise est devenue elle aussi une travailleuse, une étudiante, sinon une ouvrière. Mais enfin, moi, j'ai encore connu cette jeune fille-là, et j'ai subi son charme... Les garçons créaient autour d'elle une sorte de cercle magique.

FRANÇOIS MAURIAC

Toutes ces citations sont extraites de *Envoyez la petite musique*, entretiens parus dans *L'Express*, repris chez Fayard et en Livre de Poche.

Après quelques crachotements, un dégagement de fumée noire, l'autobus à gazogène prend péniblement la route des sommets. J'ai seize ans ; pour les filles c'est l'âge intermédiaire où tout n'est encore que promesse, attente.

Mais je n'attends rien.

Je suis assise du côté de la vitre, au côté de mon oncle, un bel homme dans sa quarantaine, au profil juif. Il est venu me chercher en gare de Sallanches, à la descente d'un train qui a mis vingt-quatre heures depuis Paris, après franchissement de la ligne de démarcation et étape à Lyon, pour arriver jusqu'ici, au fond de la vallée. Il m'emmène rejoindre sa femme, ma tante paternelle, et ses deux fils, mes cousins, dans un home d'enfants situé à Megève où ils viennent de se réfugier.

Depuis plus d'un an, c'est la guerre. Elle a éclaté en septembre 39 sans que, chez moi, on l'ait vue venir. À ce qu'il m'a semblé. En y repensant, je me dis que nous étions au contraire entourés de signes avant-coureurs. De menaces. De peurs.

À la maison, nous vivions dans l'appréhension de l'avenir. Cette crainte, je l'ai ressentie dès ma petite enfance. Mes parents se disputent, je le sais même si cela ne se passe pas devant moi, et lorsqu'ils se séparent, au grand dam de mon père, lequel proteste, pleure, mon cœur se serre en quelque sorte définitivement. Lui, l'homme que j'aime le plus au monde, me quitte. Pendant près de cinquante ans, je ne le reverrai qu'au cours de brèves visites, sans échanges intimes.

Je dois rester dans le clan des femmes – ma mère, ma grand-mère et ma tante célibataire, la plus jeune sœur de Maman – avec lesquelles nous allons vivre en cercle fermé jusqu'à la guerre, ma sœur et moi, et elles sont perpétuellement inquiètes.

Maman travaille das le grand luxe et la haute couture aux côtés de Madeleine Vionnet dont elle est l'assistante et qui est ma marraine. Ces dames sont sur un fil depuis ce qu'on a appelé la « crise ».

Ce mot m'évoque le « chien de la crise », un jouet qui fait fureur à l'époque : un fil de fer tordu en forme de chien sur lequel se hérissent en brosse de longs poils gris ! Sa maigre silhouette incarne la dévaluation qui commence à miner les plus grosses fortunes ; des clientes qui achetaient sans regarder se sont soudain mises à compter. À faire attention. Aussi à se raréfier, comme d'ailleurs les fêtes, les bals, les galas pour lesquels la couture travaillait sans relâche, car la demande était grande : aucune femme élégante n'aurait mis deux fois la même robe du soir ou la même toilette.

Mirifique époque pour les grandes maisons de couture, qui ne dure qu'une décennie, de la fin de la première Guerre mondiale jusqu'au milieu des années trente où débutent le krach financier aux États-Unis, les troubles sociaux en France, la guerre civile en Espagne, la prise du pouvoir par Hitler en Allemagne...

À la maison, on ne parle ni d'argent ni de politique : ma grand-mère est la seule à être abonnée à un journal, *Le Matin*, dont elle ne commente pas la lecture. Cantonnée le plus souvent dans sa chambre, ses fines lunettes cerclées de fer sur le nez, elle remonte au crochet les « échelles » des bas de soie, si chers et si vite filés, de ma mère et de ma tante. Tout, chez nous, est voué à cet artisanat exigeant, prestigieux de la couture, qui consiste à transfigurer les femmes pour en faire des êtres de rêve. Ma mère, dont c'est le génie, pense perpétuellement à ses créations – je le perçois à la ride profonde entre ses deux sourcils.

Un demi-siècle plus tard, quand j'irai voir la très âgée Madeleine Vionnet dans son petit hôtel particulier du XVIe arrondissement au décor des années 30, je lui demanderai : « À quoi pensez-vous, marraine ? » Elle me répondra, extatique : « Je songe à mes beaux modèles... »

C'est vrai, nous ne pensons qu'à ça, aux robes. À celles que nous allons mettre, que l'on nous fait faire dans les ateliers de l'avenue Montaigne, chez Vionnet, à celles qu'invente Maman seule, le soir, dans la salle de bains, en montant sur son mannequin de bois des toiles minuscules qu'elle rapporte au matin à ses ouvrières pour qu'elles les exécutent en grand. À propos, quelle pouvait être la place d'un homme – de mon père – dans un travail féminin aussi follement ininterrompu ?

C'est dans ce tourbillon de formes, de tissus, de couleurs, d'essayages, d'impatiences saisonnières, que prend sa source l'angoisse familiale : et si cela s'arrêtait ? Cet art est également, avant tout, un commerce. Or si nous vivons dans le luxe grâce à l'argent que gagne Maman, nous pressentons que notre relative opulence – nouvelle pour notre groupe familial – est fragile, provisoire ; comme tous les artistes, Maman travaille sans filet. Une mauvaise saison, qu'elle tombe malade, et tout s'écroulera...

Est-ce à cause de cette peur insidieuse, latente, que j'ai été une enfant sage, une si bonne élève ?

Je ne veux pas ajouter à la peine – fût-elle tue – de ces femmes que j'aime tant et qui se font du souci sans rien nous en dire. Un phrase, pourtant, revient de plus en plus souvent dans la bouche de Maman : « Mes pauvres enfants, qu'allons-nous devenir ? »

Sa plainte provoque ma souffrance, qui elle aussi demeure secrète : comment l'aider ? Mon cœur, serré depuis le départ de mon père, se serre encore plus. Je me sens coupable de n'être que ce que je suis – une fillette qu'on s'évertue à gâter – et c'est à peine si je me permets encore de respirer. (Depuis ce temps-là, jamais je ne me plains, ou fort peu, quand je me blesse ou me fais mal : pour éviter de « faire de la peine à Maman »...) Reste qu'à l'instar de ces trois femmes j'attends le drame, l'explosion. (Peut-être aussi la libération d'un trop-plein d'anxiété qui n'est pas le mien, mais le leur, à ces femmes sans homme.)

Elle a lieu.

Comme tous les ans, nous passons septembre, alors dernier mois des vacances scolaires, dans le Limousin, seules avec notre grand-mère et la gouvernante anglaise, dans la belle maison entourée de terres agricoles cultivées par un fermier. Ma mère avait pu l'acheter à la fin des années vingt alors que le couture était à son apogée et qu'elle était encore mariée avec mon père.

J'ai quatorze ans, je suis dans ma chambre, au second étage, quand soudain j'entends des cris. Plutôt que de dégringoler l'escalier à vis, ce qui serait long, je me penche par la petite fenêtre de cette pièce mansardée et, de là-haut, je vois dans la cour ma grand-mère, en noir comme toujours, et deux autres femmes, dont notre employée de maison, qui gémissent en se tordant les mains. Et j'entends : « Ça y est, la guerre est déclarée ! »

Dès cet instant, un sombre couvercle s'abat sur nous toutes. Ma grand-mère y contribue, qui avait perdu son fils bien-aimé à la guerre de 14 et ne s'en était pas remise : elle sait tout de suite, mieux que nous, ce que va signifier d'horreurs multiples et incontrôlables ce nouveau conflit. Les autres craignent avant tout et à juste titre pour leurs hommes – fils, frères, maris – qu'on mobilise.

Maman nous rejoint rapidement dans la Peugeot, qu'elle conduit elle-même, pour nous déclarer qu'elle préfère que nous ne rentrions pas à Paris. Il vaut mieux, pour elle comme pour nous, que nous restions ici, à la campagne, en sécurité, jusqu'à ce que tout rentre dans l'ordre, l'opinion générale étant que la guerre sera courte et que nous allons la gagner. Nous reviendrons aussitôt après. D'ici là, elle doit régler les lourds problèmes qui viennent de surgir à la maison de couture.

Madeleine Vionnet vient en effet de brusquement décider, en invoquant son âge – et au mépris des promesses renouvelées qu'elle avait faites à ma mère de lui laisser son affaire –, de fermer la maison Vionnet. Elle s'apprête à la liquider, comme elle en a le droit, en mettant tout son personnel à la porte, dont ma mère. Après son décès, je retrouverai le brouillon de lettres pathétiques que ma mère, flouée, dépossédée, envoie à sa patronne qu'elle aimait cependant.

Est-ce ce drame intime – dont, comme du reste, on nous tint à l'écart, ma sœur et moi – qui précipite ma grand-mère dans un désespoir qui lui vaut le cancer de l'estomac qui va l'emporter en quelques mois ?

Et moi ? Est-ce le grand deuil de ma mère et de ma tante, ses filles – ces femmes s'adoraient –, qui fait que, la guerre perdue, à notre retour à Paris, mal nourrie dans une maison non chauffée, j'attrape une congestion pulmonaire qui tourne à la tuberculose ?

Dans la plupart des foyers, tout devient sombre, dramatique, en ces années-là, et la plupart des Français de ma génération savent dans quelle déréliction la défaite, suivie de l'occupation allemande, a plongé les leurs.

Nous étions encore dans le Limousin lorsque eut lieu l'exode, cet épisode insensé et, pour certains, sanglant. Dans le fin fond du Limousin, sur nos petites routes écartées, nous n'avons rien vu passer de l'effarante caravane ; je me souviens seulement des réfugiés alsaciens qui vinrent s'installer avec leurs enfants dans un des bâtiments vacants de la ferme.

Le plus important à mes yeux est d'ordre personnel : mon père, après avoir été blessé à Verdun en 1916, est remobilisé à quarante ans en tant que capitaine d'artillerie, et il se remarie. « Un homme qui part pour la guerre a besoin d'une femme derrière lui », nous dit-il en substance. Je me refuse à entrer dans ses raisons et, meurtrie au plus profond, lui envoie une lettre vengeresse que j'ai retrouvée dans ses papiers après sa mort et dont je me repens encore : « Puisque tu m'abandonnes, je ne veux plus jamais te revoir... »

C'est que tout se dérobe sous mes pieds : la belle ordonnance de notre vie quotidienne, la confiance que je pouvais avoir dans les adultes, qu'il s'agisse de nos gouvernants ou de Madeleine Vionnet, la disparition de ma grand-mère, pilier de notre foyer, rapidement suivie de la diminution de notre train de vie : « Miss » est partie la première rejoindre l'Angleterre, puis ç'a été le tour d'une domesticité que Maman ne pouvait plus payer. Je dois renoncer à poursuivre normalement mes études à cause de mon état de santé. (Je manquerai une classe, la troisième.)

Le médecin, inquiet, propose qu'on m'envoie me remettre chez la sœur aînée de ma mère qui vit avec son mari dans le creux le plus humide du Morvan, à Cure, petit village près d'un bassin artificiel et d'une centrale électrique dont son mari est chef. En fait de convalescence, mon mal s'accroît : la tache congestive s'agrandit sur mon poumon gauche.

Ma mère s'affole, comme chaque fois que nous sommes malades, et là il y a de quoi : du côté de mon père, nombreux sont ceux qui sont morts de tuberculose, à commencer par ma grand-mère paternelle, décédée à trente-cinq ans du mal alors ravageur.

À moi, la concernée, ma maladie m'est égale. Mourir, je l'avais déjà souhaité au temps de ma première communion, ne comprenant pas ce que je faisais dans cette robe blanche à petits volants, couronnée de roses en tissu, une croix de diamants au cou, un chapelet de perles fines à la ceinture, un missel relié de parchemin blanc à la main... Pourquoi se déguiser ainsi pour aller à la rencontre de Dieu ? Cela me choquait, en fait me lassait...

Oui, j'avais l'âme lasse : trop de robes, trop de luxe dans trop d'angoisse ; trop d'amour, aussi, et pas assez de mots...

Cela continue : de la guerre on ne nous parle guère plus que des graves soucis professionnels de Maman ; ne songe-t-elle pas, en pleine débâcle, à rouvrir une maison de couture à son nom ? Admirable d'obstination et de vaillance, elle y parvient !

Quand notre grand-mère succombe à son cancer, à la clinique de la rue Georges-Bizet, je me revois sortant sans larmes de sa chambre, mais pénétrée d'un sentiment étrange : Mémée nous avaient accueillies sur son lit d'agonie, ma sœur et moi, par un merveilleux sourire. Le même que j'avais vu, quelques mois auparavant, sur le visage de mon grand-père Fernand Chapsal qui allait mourir peu de jours après dans un hôpital de Neuilly, en 1939, d'une opération destinée à réduire la fracture du fémur qu'il s'était faite – ministre et sénateur, il ne voulait pas pour autant de voiture de fonction – en courant après son autobus...

Ces deux sourires d'amour total pour leurs petits-enfants, de courage aussi, émanant de mes grands-parents des deux lignées, je me dis que c'est le viatique qui m'a donné la force de vivre jusqu'à aujourd'hui.

Aucune parole n'a été prononcée, mais la transmission s'est faite. L'un et l'autre m'ont laissé entendre qu'arrivés au bout de leur chemin – ces vies-là, l'une publique, l'autre obscure, avaient été exemplaires –, c'était à moi de les continuer. Comme je pourrais. De préférence en allant vers les sommets...

...C'est bien ce qui m'arrive, aujourd'hui, dans cet autobus qui crache derrière lui sa fumée noire : je monte !

Pour aller où ?

Tout m'est inconnu, on ne m'a instruite de rien – je ne sais même pas que mon oncle est juif et que telle est la raison de sa retraite à Megève : fuir les persécutions antisémites qui s'accroissent. Assis à mes côtés, il se tait sans chercher à me préparer à ce qui m'attend. Il faut dire qu'il n'y a guère de raisons de se réjouir, même si le paysage devient de plus en plus beau à mesure que les noirs sapins laissent place à des plaques d'un blanc d'abord sale, puis à des champs d'une neige vierge, brillante, immaculée. Il me sait malade, peut-être en danger, quoique l'on n'en dise rien.

Quant à lui, il doit songer qu'il ne pourra pas rester en Haute-Savoie : nous sommes en zone dite libre, où le port de l'étoile jaune n'est pas imposé aux juifs, mais l'étau se resserre...

Mes pensées sont autres, empreintes de curiosité : le nom de « Megève » ne recouvre rien pour moi. Je ne suis jamais allée aux sports d'hiver. On n'y envoyait pas couramment les enfants, avant-guerre.

Le trajet est long, notre moyen de transport poussif. Nous finissons par franchir un village, Combloux ; la route s'aplanit et mon oncle se tait toujours. Qu'importe, je suis habituée au silence des adultes, je sais que je dois trouver seule mes réponses. Sans leur poser de questions.

Mon oncle et moi descendons de l'autobus à l'entrée de ce qui n'était jusqu'alors qu'un village : deux mille habitants à Megève, beaucoup plus depuis l'arrivée des réfugiés fuyant pour diverses raisons la zone occupée.

Je n'ai avec moi qu'une légère valise que mon oncle prend en main pour nous diriger vers une vaste patinoire à ciel ouvert devant laquelle stationnent quelques traîneaux attelés de chevaux. Il me fait monter dans le premier dont il salue familièrement le cocher. J'apprendrai plus tard que ce moyen de transport est un luxe coûteux. Mais le car est à son terminus et nous ne sommes pas rendus ; plus d'un kilomètre à faire par une route enneigée : pour moi qui suis fatiguée comme pour mon oncle qui porte la valise, ce serait impossible à pied.

Soigneusement emmitouflée par le cocher sous une épaisse et rêche couverture, dans l'odeur forte du cheval qui avance au pas en encensant et en soufflant, sa respiration visible dans l'air froid, je me repais de ce décor lumineux, après la grisaille de Paris occupé, sali d'uniformes vert-de-gris et de panneaux en allemand. Je ne sais plus en quel mois d'hiver nous sommes, mais ici tout est recouvert d'une chape de silence et d'infrangible pureté, y compris la route où ne roulent pratiquement pas de voitures, faute de carburant.

Commence un trajet féérique, presque initiatique, dans un glissement si doux que je le voudrais infini, au sein d'une blancheur ouatée, dans les sonnailles du harnachement du cheval et le crissement musical des patins du traîneau sur la neige. Où me conduit-il, si ce n'est vers une demeure de conte de fées ?

Et c'en est une – du moins en apparence. À un tournant de cette route qui mène au mont d'Arbois, le cheval s'arrête. Le traîneau ne peut aller plus loin, car ce qui s'ouvre devant nous n'est qu'un chemin à peine déblayé, une trace si étroite que si l'on en sort, on s'enfonce dans la neige jusqu'au genou. Ai-je l'équipement nécessaire ? Je ne sais plus, mais je revois nettement, en partie dissimulé par des congères qui montent jusqu'au premier étage, le refuge qui m'attend : un grand chalet de bois typiquement savoyard, tout éclairé par des fenêtres à petits carreaux, avec un balcon en surplomb sur lequel – je ne le sais pas encore – je vais passer, étendue, immobile, de si longues heures.

Plusieurs personnes nous accueillent dans ce qui est – comme son nom l'indique – un foyer pour enfants, *Le Petit Poucet* : le propriétaire, M. Baur, à l'épaisse moustache noire, sa femme et surtout ma si belle et si charmante tante Fernande, la sœur de mon père.

J'apprends à la longue – comme toujours, je dois glaner les explications, puisqu'on ne m'en fournit pas – que ce home qui d'habitude ne prend que des enfants, a accepté d'héberger le couple de mon oncle et de ma tante – pour un prix élevé, car tout se paie cher en temps de guerre, particulièrement à Megève – avec leurs deux enfants, plus moi, jusqu'à ce qu'ils aient trouvé un chalet à louer.

À l'époque, cela n'est guère facile, la plupart sont occupés par leurs propriétaires qui, jusque là, n'y venaient qu'en vacances, ou alors sont pris d'assaut par des personnes qui, comme mon oncle, cherchent à se mettre avec leur famille à l'abri de l'occupant, le plus souvent en changeant de nom.

Au *Petit Poucet*, la vie quotidienne est réglée comme celle d'un pensionnat, avec sa discipline, ses horaires, ses dortoirs. Je me retrouve dans une chambre en compagnie de deux autres adolescentes. Les heures de repas sont strictes. M. Baur et sa femme ne tolèrent aucun retard, et les convalescents comme moi – je ne suis pas la seule à relever d'une primo-infection – sont contraints à d'interminables heures de cure.

C'est de cet allongement quotidien que je me souviens le mieux, sans doute parce que je m'y ennuyais à périr – d'autant plus que la tuberculose rend agité et fiévreux. Alors, à défaut de pouvoir me dépenser physiquement, n'ayant le droit ni de lire ni même de parler, je rêve, je fantasme et j'observe. Tout pour moi est nouveau dans cette vie en commun – en plus, avec des garçons !

Je suis arrivée avec une ordonnance du pneumologue parisien : je dois prendre ma température soir et matin et consulter un spécialiste sur place. Le premier geste de ma tante, qui va se conduire en mère avec moi pendant plusieurs années, est de me précipiter chez le médecin de la station, le Dr Renard, qui traite entre autres les tuberculeux. Son cabinet n'est heureusement pas loin, nous pouvons nous y rendre à pied. À l'époque, je mesure ma fatigue en côtes et en descentes : pour aller chez le médecin, tout va bien, il n'y a qu'à se laisser aller à la pente, mais quel effort quand il s'agit de remonter vers le *Petit Poucet* !

À la première séance d'une radioscopie suivie d'une prise de cliché – je m'y rends d'abord toutes les semaines, puis toutes les quinzaines, puis comme je vais mieux, tous les mois –, a lieu un incident qui m'humilie au point que je me le rappelle encore : sortie de derrière l'écran, torse nu, je m'inquiète auprès du médecin et de ma tante d'avoir senti passer les rayons X ! Tous deux m'affirment que c'est impossible, mais je m'obstine : quelque chose m'a chatouillée ! Après examen, le médecin moqueur m'apprend que ce que j'ai pris pour des rayons X, ce sont des gouttes de sueur – dues à une anxiété dont je n'avais pas conscience – qui ont coulé en abondance de mes aisselles sur mon thorax dénudé. Quelle honte, mais tant pis pour moi j'avais oublié qu'il ne faut jamais se plaindre !

Couchés à plat parmi d'autres, dont l'aîné de mes cousins considéré comme fragile, vu notre ascendance, et atteint lui aussi d'une primo-infection, en plein air sur le long et large balcon, emmitouflés dans d'épaisses couvertures, protégés par le toit du vent et de la neige,pendant près d'une heure et demie nous n'avons pas de droit de bouger. Certains s'endorment, pas moi. À quoi est-ce que je songe ? Certainement pas à ce que j'ai laissé à Paris, car même si je suis en quelque sorte exilée, j'éprouve un plaisir secret, puissant, à me sentir enfin sortie de ma gangue familiale. Délivrée de la présence continuelle de ma petite sœur qui couchait dans la même chambre que moi, où qu'on allât en vacances, dans les hôtels, chez Madeleine Vionnet, à Bandol – avec en plus, à Paris, une troisième personne qui ne devait guère apprécier plus que moi une telle promiscuité : la gouvernante !

En fait, depuis ma naissance, je ne m'étais jamais trouvée seule, sauf dans le Limousin lorsque je faisais mine de m'enfuir dans les bois, ce qui ne durait pas plus d'un quart d'heure. (Mes uniques instants d'intimité, et je les appréciais, c'était quand je m'attardais aux cabinets !...) En conséquence, même si les autres souvent m'excédaient, j'étais liée à eux par peur d'un isolement auquel je n'étais pas préparée. Ah, nos promenades au bois de Boulogne, main dans la main, avec ma sœur et la gouvernante ! Le matin, celle-ci nous conduisait à pied au cours Lamartine, rue de la Pompe, pour revenir nous chercher à 11h30 en compagnie de la petite chienne Rac, surnommée Sophie. (Dans un des livres de Bruno Bettelheim écrit après un séjour en Israël, j'appris, ce qui me frappa, que les enfants des kibboutzim, retirés de leur famille pour être élevés si l'on peut dire en troupeau, une fois grands ne pouvaient exister sans être absorbés au sein d'un groupe, et entraient rapidement dans l'armée.)

Au Petit Poucet, même si je couchais avec trois autres filles et ne sortais pas sans être accompagnée, je jouissais d'un statut amélioré : on ne surveillait pas mes gestes, ne commentait pas mes moindres actions, ne jugeait pas constamment de mon habillement ni de ma coiffure, comme cela avait été le cas au cours de ma première vie – celle qu'on aurait pu considérer, pour le meilleur et le pire, comme une éducation de princesse.

Délivrée d'un protocole qui, vu mon tempérament dont j'ignorais encore les vraies aspirations, ne pouvait que m'entraver, je m'ébrouais de plus en plus librement. Sans compter que l'air que je respirais était vif, salubre, et j'y ouvrais à plein mes poumons, ce qui détermina sans doute mon retour à la robustesse, sinon à une pleine santé. (Il me fallut toutefois encore du temps pour cesser d'évaluer mes trajets en côtes et en descentes...)

Il y avait aussi la nourriture, bien qu'au début elle fût maigre. Le rationnement et ses tickets avaient cours, comme à Paris, de même que le marché noir, au début mal organisé. À table, on nous comptait les tartines d'un pain dont je n'aurais su définir la composition. On nous servait aussi des espèces de pâtés aux topinambours : même tenaillé par la faim, on ne parvenait à ingurgiter que la moitié du sien tant il se révélait bourratif, étouffant !

Le pensionnat était mixte et moi qui n'avais jamais fréquenté jusqu'ici de garçons de mon âge – sauf un, à Bandol, sur la plage : le fils du directeur commercial de la maison Vionnet –, j'étais comme subjuguée. J'avais tellement envie de plaire ! À y repenser, il me semble que j'ai été ainsi, désireuse de séduire, dès ma naissance. Ce qui fait qu'à table il m'arrivais de faire cadeau en douce de l'une de mes tartines – j'avais droit à trois tartines, comme tous les J3, alors que les J2 n'en recevaient que deux – à des garçons assis à côté de moi et dont j'avais envie de me faire remarquer.

Heureusement, mon oncle et ma tante, bien avisés, avaient commencé à se procurer de la nourriture dans les fermes, en ce temps-là nombreuses, et aussi à prix élevés dans une épicerie mègevane – laquelle dut faire fortune. Une fois enfermés à clé dans leur chambre, ils nous distribuaient du jambon, des petits biscuits, parfois du chocolat, à mes cousins et à moi, nous demandant de n'en rien dire à nos camarades, lesquels, loin de leurs parents, ne bénéficiaient pas de surplus.

Je ne garde aucun mauvais souvenir de cette période de transition. Toutefois, ma vie à Megève n'a vraiment commencé que quelques mois plus tard, lorsque mon oncle parvint enfin à louer un chalet situé sur cette même route du Mont d'Arbois, sur le plat proche du téléphérique, et appelé *Les Jonquilles*.

Pour la première fois de ma vie, alors que j'avais seize ans, j'y bénéficiais d'une chambre pour moi toute seule, avec un balcon dominant le ravissant village rural qu'était alors Megève, son clocher en pointe orné du gros bulbe typique des églises savoyardes.

Lorsqu'on est enfant et même adolescent, il est rare qu'on apprécie la beauté d'un site ou d'une œuvre d'art si on ne vous y incite pas. En fait, si on ne vous apprend pas à voir, à comparer. Si on ne vous dit pas : « Regarde comme c'est beau ! » Ce qui fait que je n'avais pas conscience de la magnificence de ce qui s'étendait sous mes yeux, cette large vallée en forme de cuvette se continuant par des montagnes aux flancs doux, garnis de mélèzes et de sapins (Megève n'est qu'à onze cents mètres d'altitude) ; toutefois, je m'en imprégnais de jour en jour plus intimement. Ces années dans la quasi et étincelante solitude d'un pays de montagne, si elles vont contribuer à me faire recouvrer une santé un peu plus normale, seront déterminantes à bien des égards pour ma vie et mes goûts futurs.

Avant tout, j'y découvre l'indépendance physique, mentale, bientôt le bonheur de faire partie d'une bande de jeunes gens de mon âge, et aussi l'amour, du moins à travers celui que je provoque. (Pour moi je n'ai vraiment aimé que plus tard.)

À peine sommes-nous installés aux *Jonquilles* avec le chien Bobby, un petit ratier noir et blanc, que mon oncle se met à voyager. Où allait-il ? Megève n'est pas loin de la frontière suisse et je crois qu'il y fit d'une façon clandestine plusieurs allers et retours avant de partir, un jour, définitivement, pour l'Afrique du Nord, rejoindre ceux qui avaient choisi d'être avec de Gaulle.

Évidemment, on ne nous disait rien, à nous les enfants – mes deux cousins étaient encore plus jeunes que moi –, à la fois pour nous épargner des soucis – c'était l'usage, dans la plupart des milieux de tenir les enfants à l'écart des réalités quand elles étaient cruelles ou trop pénibles –, mais aussi pour prévenir la moindre indiscrétion. Laquelle, vue l'époque, risquait d'être fatale.

C'est donc en pleine quiétude que je pouvais me livrer à mes découvertes chaque jour nouvelles et de plus en plus excitantes.

Je chaussai ainsi des skis pour la première fois. Des planches en frêne, peu pratiques, avec des fixations plus que bancales – et donc chutes assurées... Mais que l'édredon de neige fraîchement tombée était accueillant, nos rires libres de toute angoisse !

Ailleurs, autour de nous, les arrestations et la mort progressaient. Comme on ne me disait rien, j'étais loin de m'en douter. À peine recevais-je de temps à autre une de ces cartes dites « interzones », avec un timbre représentant le maréchal Pétain, qui me donnaient de brèves nouvelles de ceux dont j'étais coupée : mon père d'un côté, ma mère de l'autre – et m'assurant seulement qu'ils étaient en vie, ce dont curieusement je ne doutais pas.

En vérité, je n'étais pas plus informée de l'état du monde qui explosait de partout, de ses dangers proches ou lointains, que de ce qui se passait dans mon propre corps : abandonnant mes poumons, les bacilles de Koch avaient migré ailleurs. Sans être fatales, les conséquences de cette tuberculose devenue génitale devaient se révéler capitales pour mon avenir auquel je ne songeais guère. Mais qui se voyait un avenir, à l'époque ?

Occupation ou pas, mes cousins comme moi nous devions poursuivre nos études. Une exigence parentale qui me paraissait tout à fait normale : depuis mes trois ans et mon entrée en maternelle, ma vie était soumise au rythme de la discipline scolaire. Je ne pouvais imaginer mes journées sans cette contrainte. En 1939, lorsque Maman nous consigna dans le Limousin, à l'écart de la capitale occupée – elle avait connu les affres de Paris pendant la guerre de 14, redoutait leur retour, et à certains égards, avec justesse –, on fit appel à une répétitrice. Cette charmante femme, à l'époque « Mlle Belgaud », vit toujours, je viens de l'apprendre par sa petite-fille, et elle se souvient comme moi de cette année-là. Elle se rendait tous les jours à bicyclette dans notre maison, à trois kilomètres du bourg, afin de nous faire suivre le programme de nos classes respectives que ma sœur et moi étudiions sur la large table de la salle à manger.

À Megève, ce fut le retour à l'éducation collective : des établissements reconnus étaient disposés à nous recevoir, même si nous venions d'ailleurs. C'était une chance : en temps de guerre, tant de jeunes, déplacés, cachés, déportés, ne peuvent, de nos jours encore, poursuivre leur instruction !

Ma tante, toujours attentive, s'empressa de nous inscrire dans un cours situé sur la route du Mont d'Arbois, non loin des *Jonquilles*, qui s'appelait d'un joli nom : *Florimontane*. Il était tenu par une vieille demoiselle, Mlle Lucas. Mon cousin Claude se plaît à me rappeler qu'elle avait quelques poils au menton. Pour moi je ne pensais qu'à bien travailler, bien me conduire, afin de me faire apprécier, car j'avais (j'ai encore aujourd'hui...) horreur d'être reconnue et déclarée en tort. J'ai pris du retard, mais je le rattrape sans grand effort, et fais bientôt partie des meilleurs élèves de ma classe de seconde.

Mais ce n'est pas le travail scolaire qui va m'absorber, c'est la rencontre avec des jeunes de mon âge, et des deux sexes. Qui sont-ils ? Comment se comportent-ils et que faire pour me faire admettre, apprécier ? Toutes choses que je n'ai apprises ni à la maison, ni dans mon cours pour jeunes filles du XVIe. (Rien de plus avide d'intégration que les jeunes personnes élevées sous cloche ; Simone de Beauvoir, élève du très convenable cours Désir avant de devenir la papesse de l'existentialisme, en est l'illustration !)

Mais, lorsqu'on est adolescent – nous le restions longtemps, dans ce petit monde protégé –, qu'est-ce qui pousse à s'attacher aux uns plutôt qu'aux autres ? Quelle attirance irraisonnée fait qu'on s'élit ou se refuse d'emblée ? Dès lors, une sorte de hiérarchie se constitue, sans motif reconnu. Elle varie peu au cours du temps : les meneurs restent les meneurs, et les menés se contentent de leur sort... Mais quand on en arrive à la vie adulte, on s'étonne de voir souvent les situations s'inverser : les adolescents qui s'imposaient par leur bagout, leur physique, leur dynamisme, se retrouvent en position inférieure alors que certains, qu'on ne remarquait guère, s'adjugent les meilleures places.

À Megève, la personne qui dominait était une fille : Colette Mantout. Le chalet de ses parents se trouvait juste en face des *Jonquilles*, sur cette route du Mont d'Arbois que je n'avais qu'à franchir pour être chez elle. La petite porte en ogive donnait à ce beau chalet au toit très pentu l'allure d'une demeure de la forêt, alors que l'aménagement intérieur surprenait par son luxueux modernisme. (À Paris, les Mantout habitaient un hôtel particulier à Neuilly.) Je me souviens de la vaste pièce de séjour, de sa large baie aux portes de verre coulissantes donnant sur un balcon qui, mieux encore que le nôtre, avait vue sur la vallée, jusqu'à cinquante kilomètres, prétendait-on... L'électrophone – un luxe, là aussi – était constamment en marche et diffusait des chansons de l'époque – Piaf, Trenet, Zarah Leander – ou des musiques de jazz – Armstrong, Fitzgerald…

Courte en jambes, le front bas, Colette n'était pas vraiment belle, mais joliment ronde, musclée – et excellente en ski. Ses yeux étaient un peu ronds, eux aussi, comme sa ferme et haute poitrine qu'elle ne craignait pas de laisser deviner par l'échancrure de son chemiser boutonné plus bas qu'il n'était d'usage dans notre groupe où la pudeur faisait loi.

Je me souviens de ma gêne quand, l'été venu, ayant troqué mes lourds vêtements d'hiver contre un maillot de bain une pièce, je me suis avancée, me sentant quasi nue devant les autres. Un silence m'accueillit, que je ne sus interpréter : critique ou admiratif ? Les adolescents ignorent tout d'eux-mêmes ; ce sont les autres qui vont leur assigner une place, éventuellement leur donner un rôle dont ils auront du mal à se dépêtrer.

Pour moi, je finis par l'apprendre, je représentais, pour la bande, la fille « qui a du charme ». On ne me le disait certes pas en famille, et je n'avais aucune idée de ce qui pouvait émaner de moi. Grâce au miroir, on peut s'apercevoir qu'on est jolie ou, devant certains de ses résultats scolaires ou sportifs, découvrir qu'on a de l'intelligence ou des dons, mais le charme est un attrait voué à la seule appréciation d'autrui dont en quelque sorte on dépend... J'appris aussi – cette fois par ma tante – que j'étais entêtée, mais d'une manière retenue et particulière : « Madeleine ne dit jamais non, mais elle ne fait que ce qu'elle veut bien faire... » Des années plus tard, Françoise Giroud jugea de même pour ce qui concernait mon travail à *L'Express* : si je ne voulais pas traiter un sujet, me fit-elle remarquer un jour en souriant, inutile d'insister, je ne le ferais pas ! Cela m'étonna : je me croyais docile...

Pour ce qui est de Colette, elle se plaçait d'emblée sur un pied d'égalité avec les garçons et il émanait d'elle une plaisante autorité qui nous mettait tous à ses ordres. Que nous fussions en promenade sur la route, au village, par les prés ou les chemins, elle était toujours le centre du groupe ; et quand nous étions chez elle, lieu de ralliement à la porte toujours ouverte, c'est elle qui faisait la loi.

Est-ce le fait de vivre en famille avec son père, sa mère, son frère plus jeune, qui lui conférait ce poids ? À sa différence, la plupart d'entre nous étaient, comme moi, séparés des leurs, en pension ou logeant seuls chez l'habitant. Était-ce aussi parce que, chez les Mantout, on sentait qu'il y avait de l'argent ? Guy Mantout – lui était juif, pas sa femme – avait créé avant-guerre une belle affaire de cosmétiques avec pour fleuron un rouge à lèvres dont tout le monde connaissait le nom : le « rouge Baiser ». Sa femme, qui s'appelait Fernande, comme ma tante, était une réclame vivante pour l'activité de son mari : maquillée dès le matin et quel que fût le temps, les sourcils épilés, les cheveux platine, elle rayonnait du plaisir de vivre, et devint vite inséparable de ma tante. Les deux Fernande, qui se hélaient de leurs fenêtres, se voyaient tous les jours, organisaient des bridges, bavardaient interminablement, partaient faire leurs courses ensemble, Fernande Mantout n'hésitant pas à louer des taxis à gazogène ou à prendre un traîneau pour ramener leurs courses, le plus souvent alimentaires.

Ce qui fait qu'après les cours, qui se terminaient tôt, nous, les jeunes, débarrassés des adultes – Mantout, tout autant que mon oncle, s'absentait pour « affaires » : lesquelles ? motus ! –, nous étions libres d'aller et venir à notre guise. Du moins jusqu'au dîner : point de sorties nocturnes, d'autant moins qu'il y eut bientôt couvre-feu.

Une autre personnalité marquante – non pour son argent, car chez elle on en manquait cruellement, mais pour son exceptionnelle beauté – était Christiane Laroche, laquelle devint rapidement ma meilleure amie.

Qu'ils soient filles ou garçons, les êtres beaux m'attirent. Je vais vers eux dès l'abord, et, dans l'ensemble, j'ai la chance qu'ils m'acceptent. À vrai dire, c'est assez facile : les êtres très ou même trop beaux, s'ils déclenchent des passions, font peur, suscitent la jalousie, ce qui fait qu'ils se retrouvent souvent seuls. Alors je suis là, admirative, prête à les accompagner dans leur destin d'ange ou d'archange !

Et Christiane, plus encore que d'autres, avait besoin de soutien. Elle habitait sur le plateau, tout au bout de la route du Mont d'Arbois, à côté d'un hameau dit Le Planellet, dans un chalet – le chalet du Tour – qui se voulait hôtel, mais qui avait du mal à retenir des clients tant il était coupé de tout dès les premières chutes de neige.

Il appartenait à un Autrichien d'origine, Kurt Wick, si passionné par la vie à la montagne qu'il avait abandonné son premier métier – je crois qu'il avait étudié le droit – pour se consacrer au ski et, afin de survivre, s'était fait moniteur. Grand et bel homme, d'une blondeur inusitée en Savoie, il avait épousé en secondes noces la mère de Christiane, fort belle elle aussi : une union qui, en son temps, avait fait scandale. Mme Laroche, venue en vacances à Megève, était tombée amoureuse de son moniteur de ski. C'était un peu la mode, à l'époque : trop oisives, les jeunes femmes de la société s'ennuyaient. Mais ce qu'elle avait fait de moins banal, c'était de divorcer d'avec un mari fort bourgeois – elle-même était fille d'ambassadeur – pour se mettre à vivre dans cet endroit perdu avec son élu qu'elle avait épousé, en compagnie de deux enfants de son premier mariage, Christiane et un fils plus jeune, Claude.

Christiane ne s'entendait pas trop avec son beau-père qui pratiquait la discipline à l'allemande ; de surcroît, au Tour, la vie était rude. Le chalet, une ancienne ferme, était construit en planches et mon amie m'avait fait visiter sa chambre étroite dont les cloisons disjointes laissaient passer l'air extérieur. En hiver, ne pouvant utiliser sa bicyclette sur les chemins ni sur la route enneigés, elle devait chausser les skis pour venir à *Florimontane*, et, certains jours, quand la couche de neige tombée durant la nuit était par trop épaisse, la jeune fille n'y parvenait pas. Si la ligne n'était pas coupée par l'intempérie, elle téléphonait pour s'excuser de son absence – en geignant.

Est-ce à cause de l'inconfort de sa vie quotidienne ou de sa situation de fille de parents divorcés et remariés ? Christiane se plaignait sans cesse. Mais elle était si jolie avec sa bouche si superbement dessinée sous d'admirables yeux sombres, ses cheveux noir d'ébène, son teint mat – elle ressemblait un peu à Ava Gardner –, que nous l'écoutions ou plutôt la contemplions, fascinés. Par ces temps de disette, une telle beauté était un cadeau du Ciel ! Quand elle se détachait, si brune, et fût-elle en pleurs – elle pleurait souvent –, sur le fond glacé de notre décor alpin, c'était comme un rappel qu'il pouvait exister ailleurs un perpétuel soleil. La plupart des garçons, eussent-ils le cœur pris, étaient amoureux d'elle. Et n'importe quel adulte souriait dès qu'elle apparaissait.

Il y avait aussi d'autres filles que j'aimais bien : Lydie Z., très typée, Jacqueline B. (fille d'un dessinateur de *L'Illustration* connu avant-guerre), trois adolescentes d'âge différent, les Servan – on voyait peu Brigitte, l'aînée, qui restait avec ses parents dans leur grand chalet isolé, l'un des premiers construits à Megève ; les deux cadettes ne faisaient pas vraiment partie de ma bande, qui était celle des aînés, mais plutôt de celle de mes cousins, plus jeunes.

Pour ce qui est des garçons, aucun de nos camarades n'avait une personnalité vraiment marquante, mais tous possédaient un petit quelque chose, une différence dans le physique ou le tempérament qui leur conférait sinon de l'importance, du moins une certaine singularité ! Quand on n'est pas nombreux – et nous n'étions guère plus d'une quinzaine – cela se passe comme dans *Les Copains d'abord,* la belle chanson de Brassens : chacun compte et occupe une place qui n'appartient qu'à lui. (J'allais retrouver plus tard ce sentiment dans l'équipe initiale du premier *Express,* qui ne rassemblait que sept personnes : chacune alors pesait lourd.) Je me souviens de Georges Blanchard, un joli brun qui arborait une fine moustache, de Guy Kisling, fils d'un peintre connu, d'un grand blond très séducteur prénommé Jean-Jacques, et de celui qui devint mon flirt attitré : Jean-Claude Bujard.

Certains étaient juifs, mais nous ne nous posions pas la question de nos origines respectives. Ceux qui ne tombaient pas directement sous le coup de la persécution antisémite, comme moi, n'en étaient guère informés, et si certains de nos camarades étaient avertis du péril par leurs parents, comme ils leur demandaient de se taire, longtemps rien n'en a transpiré.

Il faut dire que dans les milieux aisés dont nous étions pour la plupart issus – il fallait de l'argent pour subsister à Megève et se payer des études –, les personnes d'origine juive, comme mon oncle, n'étaient guère croyants et ne pratiquaient pas. Ils ne se différenciaient en rien des autres, si ce n'est, pour certains, par un charme supplémentaire auquel je succombais plus qu'à mon tour sans bien discerner ce que ces garçons – plus tard, ce furent des hommes – pouvaient avoir qui les rendaient à mes yeux plus séduisants que d'autres.

Et si nous ne faisions pas l'amour – inconcevable à l'époque chez les adolescents de notre milieu –, nous vivions sous son emprise. C'est le souffle de l'amour, j'en suis convaincue, qui contribuait à nous extraire, à nous protéger des angoisses et des préoccupations de plus en plus sombres des adultes.

Et, pour rester dans l'élan de la vie plutôt que de nous laisser contaminer par l'ambiance de mort qui, de semaine en semaine, grimpait jusqu'à notre refuge de montagne, nous ne pensions qu'au flirt.

Je me pose aujourd'hui la question : comment se fait-il que, loin de tout modèle, nous ayons adopté ou réinventé les mêmes mœurs que la jeunesse américaine ? Se mettre en couple, aller deux par deux, se faisait comme naturellement : chacun se choisissait quelque chacune au cours des parties de danse dites à tort *surprises-parties* alors qu'elles avaient lieu sans surprise presque toutes les fins d'après-midi, après la classe, chez Colette. L'été venu, on se prenait par le bras pendant nos balades à flanc de montagne, on se tenait la main en marchant sur la route ou dans le village, on se suivait à bicyclette par les chemins, on s'asseyait côte à côte lors des pique-niques dans les bois.

Cette élection se décidait sur un baiser donné en secret, suivi de quelques autres, sans qu'il fût question d'aller plus loin. Mais c'était fait : à partir de ce moment-là, le garçon et la fille ne se quittaient plus, on ne les voyait que serrés l'un contre l'autre, en classe, en réunion, à la séance hebdomadaire de cinéma, et ce « collage » faisait office d'annonce : dès lors, nul ne se permettait de s'immiscer entre eux deux. Du moins ouvertement, car cela se tentait quand même, tant la conquête amoureuse est pour tous, à tous âges, le plus grand des jeux...

Mon premier baiser est tardif : j'ai seize ans ! Il m'est donné par Jean-Claude, un soir d'été, sur le balcon des *Jonquilles* où, venu pour une courte visite, il m'entraîne sous prétexte de me faire contempler les étoiles filantes. Dans un élan inattendu, le jeune homme s'approche, effleure rapidement mes lèvres, et tout de suite je tremble : si ma tante, demeurée à l'intérieur de la maison, s'en apercevait ! (Elle m'avoua plus tard qu'elle me surveillait alors comme du lait sur le feu tout en riant des « miaou » qu'elle prétendait entendre à la tombée de la nuit sous nos fenêtres !...) Je ne sais si elle surprit ce baiser-là, mais elle ne me dit rien, et, à partir de là, il fut convenu aux yeux de tous que Jean-Claude et moi étions « ensemble ».

Ce svelte et long jeune homme brun était charmant, sportif, distingué, terriblement bien élevé, et il était loin de me déplaire. D'autant qu'il s'occupait constamment de moi, me portait mes affaires, me relevait au cours de mes nombreuses chutes quand je me hasardais à skis, regonflait les pneus si souvent percés de ma bicyclette qu'il allait appuyer contre un arbre ou un mur, près de la sienne, quand je ne m'en servais plus. Il ne me quitta guère de toutes ces années-là, et l'avoir ainsi près de moi était aussi rassurant que commode.

Mais, si j'appréciais d'être constamment accompagnée, je n'étais pas amoureuse. Quelque chose m'empêchait de l'être. Quelque profonde blessure qui ne guérissait pas. Était-elle due à l'éloignement de mon père, au chagrin d'avoir récemment perdu ma grand-mère, ou à ce terrible manque de paroles qui faisait que je n'avais jamais pu communiquer vraiment avec ma mère ni avec mes proches ?

S'il m'arrivait quelque tracas, une inquiétude, une déception, je ne savais que les refouler, les nier. Sans doute craignais-je de m'attacher à quoi ou qui que ce fût, de crainte de trop souffrir ; je devais déjà savoir au fond de moi combien j'étais vulnérable au pire des maux : la séparation.

Par ailleurs, comme tous les êtres qui découvrent la vie, je pouvais être volage. Si un nouveau garçon apparaissait dans notre entourage, je le jaugeais d'un coup d'œil : pour moi, pas pour moi ? S'il ne me plaisait pas, je faisais en sorte qu'il le sût et ne cherchât pas à me courtiser. Mais certains m'attirèrent d'emblée – l'un, surtout, que je n'ai pu oublier.

Il venait d'avoir dix-huit ans, comme dans la chanson. Il s'appelait Pierre T. Sous son épaisse chevelure ondulée châtain clair, s'ouvraient deux magnifiques yeux verts étirés en amande. Une bouche sensuelle, la voix assez basse, pas très grand mais râblé, la tête dans les épaules, il faisait plus « homme » que les autres. C'est l'un de nous, Bertrand, un peu frimeur, un peu braillard, qui nous le présenta : Pierre venait d'ailleurs et habitait avec lui pour l'instant.

En fait, le garçon, qui était juif, fuyait la Gestapo, laquelle avait arrêté ses parents. Dans quelles circonstances, rien n'en fut dit.

Un attrait sensuel me pousse d'emblée vers lui, je sens qu'il est réciproque. Je souhaite ardemment qu'il me prenne dans ses bras et je devine qu'alors je ne répondrais plus de rien... Jean-Claude, à qui je n'accorde guère de faveurs poussées, me suit de trop près pour ne pas s'en apercevoir, et devient jaloux.

Ce qui, au lieu de m'émouvoir, m'agace.

Un soir d'été, à la nuit tombante, nous nous promenons à plusieurs à côté du grand hôtel du Mont d'Arbois, alors fermé. Les deux garçons m'escortent. Soudain, sur une impulsion, je pars au galop vers un sous-bois. Pierre comprend mon manège, qui est un appel ; il me suit, me rattrape ; dès que nous sommes à couvert, il m'enlace.

C'est alors que Jean-Claude nous rejoint, essoufflé, furieux mais muet : il se contente d'être là. « Quel droit as-tu sur moi ? » ai-je envie de lui crier. Nous ne nous sommes rien promis, je ne suis pas engagée avec lui. Mais sa présence stoppe toute effusion. Rien ne peut avoir lieu entre moi et Pierre, ce soir-là, ce que je regrette encore. Il ne nous reste qu'à rentrer chacun chez soi.

C'est un peu plus tard, dans une chambre qu'il a fini par louer dans une pension nommé *Chantoiseau*, que Pierre m'embrasse enfin. J'étais venue lui rendre visite en dépit du règlement qui voulait qu'il n'y eût pas de filles dans la chambre des garçons. La porte refermée, Pierre m'étreint et commence à m'embrasser le cou, le visage, les lèvres, tout en me murmurant : « Il ne faut pas. » Que je sois là ? Nous aimer ? Aller plus loin ? Peu m'importe, je suis prête à transgresser tous les interdits pour lui, quand la porte s'ouvre avec fracas. Une jeune femme, guère jolie, et qui travaille dans l'établissement, vient d'entrer sans frapper sous prétexte de nous rappeler que je ne dois pas être là. Pierre s'éloigne vivement de moi et, bien que peu familière des intrigues de l'amour, je comprends qu'elle doit être sa maîtresse et est venue s'interposer par jalousie.

Quelques jours plus tard, Pierre disparaît en compagnie de Bertrand.

La rumeur veut que les jeunes gens aient pris peur à l'annonce que les Allemands venaient de supprimer la zone libre et risquaient de débarquer à Megève où séjournaient toutes sortes de personnes qui n'étaient pas en règle. Bertrand aussi était juif, mais, lui, je le revis plus tard. Les deux garçons étaient allés se réfugier dans des lieux qu'ils croyaient plus sûrs que Megève où chacun était en quelque sorte « fiché » et tout nouveau venu, vite repéré, une proie toute indiquée pour les dénonciateurs. Bertrand s'en sortit, mais Pierre fut pris. C'est par Guy Mantout, le père de Colette, arrêté un temps lui aussi, que nous apprîmes plus tard qu'il avait aperçu le garçon à Drancy, alors vaste dépôt de prisonniers où s'effectuaient des tris impitoyables, et qu'après un certain temps de détention Pierre avait été déporté.

Plus personne, jamais, n'eut de ses nouvelles. Mais ce garçon que je n'avais connu que quelques semaines, qui ne m'avait donné qu'un seul baiser – j'en avais chaud par tout le corps dès que j'y repensais – était le premier à m'avoir fait battre le cœur, me révélant que, pour moi, rien ne vaudrait l'amour, et qu'aussi longtemps que je vivrais, il n'y aurait que lui pour me conduire et me faire agir.

Je me reprochais aussi de ne pas avoir suivi Pierre dont je conservais dans mon portefeuille une petite photo d'identité que j'ai toujours. Mais il m'avait dissimulé son départ, comme à tous les autres. Seule une phrase ambiguë, lorsqu'il m'avait remis sa photo en échange de la mienne, aurait pu me laisser entendre qu'il allait partir : « Où serons-nous bientôt ? »

Quand on délocalise un chat, une fois son panier ouvert, l'endroit où on l'a relâché devient son point de repère : c'est à partir de là qu'il s'égaille en cercles toujours plus larges, pour appréhender son nouvel environnement. C'est à la manière des petits félins qui ne veulent pas perdre leur nord que je me suis conduite à Megève, topographiquement et aussi moralement, élargissant mon univers à pas feutrés.

J'explorai d'abord les alentours. Notre chalet, *Les Jonquilles*, s'il se dressait sur un terrain séparé, n'était pas loin de deux autres, sans doute bâtis par le même architecte. C'est à cet homme, appelé Le Même, que l'on doit bien des constructions réussies à Megève. Dont le chalet des parents de Colette et aussi celui de son voisin, qui resta fermé toute la guerre et qui appartenait à Eugène Schueller, fondateur de L'Oréal et père de Liliane Bettancourt.

La maison située sur notre gauche, du même côté de la route, était occupée par une femme éclatante tant par son physique que par son tempérament, Marcelle Bréaud. Elle avait quatre enfants dont l'aînée, une ravissante petite fille aux longs cheveux, prénommée Francine, devint championne de ski junior – elle s'entraînait sans cesse – et finit par épouser, des années plus tard, Sacha Distel.

Aujourd'hui, bien des noms que je cite appartiennent à des gens connus ou à des célébrités ; à l'époque, dans l'ensemble, nous n'étions pour les uns comme pour les autres que des prénoms, la plupart vivant sous le coup d'une menace plus ou moins précise et avouée.

Légèrement plus jeune que ma tante, Marcelle Bréaud devint vite son amie pour des raisons de proximité mais aussi d'entraide. Remarquable déjà par sa coiffure – elle portait ses longs cheveux en un grosse natte enroulée autour de sa tête, sur laquelle elle aimait piquer un ornement : fleur, nœud, bijou –, Marcelle ne pouvait tenir en place. Sans cesse en mouvement, elle organisait chez elle de petits raouts, arpentait les pistes dès que le téléphérique fonctionnait, descendait pour un rien à Megève et, connaissant les lieux et les gens depuis plus longtemps que ma tante, lui indiqua toutes sortes d'adresses, dont celles des fermiers avoisinants qui nous fournirent en beurre, lait, œufs, volailles. Une manne !

C'est plus tard, après la guerre, que j'eus des échos sur la vie agitée – en particulier sur le plan amoureux – qu'avait menée la belle Marcelle à Megève. Tout ce que je remarquais à l'époque, c'est qu'elle apportait de l'entrain dans notre coin, riait fort, était toujours de bonne humeur et se vêtait de couleurs franches qui auraient fait tiquer ma mère. Marcelle, pas très grande, très charpentée, aimait le rouge, le vert, et aussi les jupettes – on ne disait pas encore des minis – qu'elle portait court sur des bas à côtes en grosse laine colorée. Un côté tyrolien qui commença par choquer la Parisienne que j'étais, mais qui, en même temps, me fascinait.

Car la mode et le goût des vêtements continuaient à vivement préoccuper notre petit clan de femmes dont les plus âgées avaient à peine trente ans. Pour moi, j'étais arrivée à Megève avec, dans ma valise, deux vestes style couture que ma mère avait fait couper dans ses ateliers, l'une pour ma tante, l'autre pour moi.

Celle de ma tante était dans un lainage framboise et d'emblée me plut davantage que la mienne, laquelle faisait moins d'effet d'être d'un bleu quelque peu éteint dans un tissu plus plat. Peu importe, ces vestes-là, en belle matière, nous durèrent toute la guerre et nous faisaient remarquer ! C'est qu'elles tranchaient par leur couleur comme par leur forme sur ce qu'arboraient les autres ou ce qu'on pouvait trouver dans les magasins « sport ». Nos vestes à nous évoquaient l'élégance parisienne et nous ne les mettions que pour les sorties, afin de ne pas trop les user.

Ignorant ce qu'était la vie dans la neige et le froid alpin, ma mère m'avait aussi fait faire ce qu'elle appelait une « canadienne », qui était une longue veste boutonnée avec capuche, en gabardine grise doublée de fourrure de lapin ton sur ton. Comme les manches ne l'étaient pas, ma veste ne me protégeait guère des basses températures, mais, en demi-saison, faisait chic autant que bizarre.

Ce que j'aurais préféré et que je n'avais pas – n'eus jamais – c'était d'abord un duffle-coat comme il commençait à en apparaître et que portaient surtout les garçons, et de ces chandails jacquard agrémentés d'une bande à motifs représentant souvent des rennes à hauteur de la poitrine et des avant-bras – une mode qui venait, je crois, de Scandinavie. Oui, si j'ai eu des accès de jalousie, à Megève, ils furent uniquement d'ordre vestimentaire : je trouvais les autres plus dans la note que moi... Pour le reste, nourriture, logement, je me contentais de ce que j'avais.

Et puis je finis par obtenir ce qui était le comble du chic et réservé à ceux qui en avaient les moyens : un vrai pantalon de ski, un « fuseau », fait sur mesure par Armand Allard, le tailleur qui en avait été l'inventeur. Le mien fut noir, exigea trois essayages, et s'il était un peu plus long à l'entrejambe – ce n'était pas du tout la mode des fesses moulées –, il faisait de moi une véritable mègevane.

Quant à mes chaussures dites de ski, elle avaient l'inconvénient d'être basses à la cheville, ce qui ne prédisposait pas à la glisse et n'était pas pour rien dans mes chutes répétées : je n'arrivais pas à maîtriser mes planches, d'autant moins que j'étais plus souple que musclée… Mais cela valait mieux que les chaussures échues à Christiane : elles avaient appartenu à sa mère, elles étaient d'une pointure trop petite et la pauvre souffrait continuellement des orteils.

Si je parle autant de nos vêtements, c'est que nous n'avions pas les moyens de renouveler nos tenues, et, tel un uniforme, elles identifiaient chacun de nous et comptaient terriblement pour nous, comme chez tous les adolescents : nous avions à la fois le désir d'être pareils aux autres et celui de nous distinguer – la quadrature du cercle !

Un petit détail, en fait des boucles d'oreilles fantaisie, pouvait y aider : on voyait sur la grand-place une boutique de luxe Olympe – l'équivalent pour nous de Cartier, place Vendôme –, tenue par une personne blonde, assez forte, à l'accent étranger, qui vendait des montres, des réveils, quelques bijoux en or, dont des poudriers et des fume-cigarette en métal précieux. De plus, elle fabriquait elle-même des boucles d'oreilles en forme de fleurs dans une sorte de papier mâché (je ne crois pas que c'était du plastique). Il y en avait de toutes les couleurs. Celles que ma tante eut la générosité de m'offrir étaient bleu pâle, je les portais comme des diamants car toutes les filles les convoitaient et toutes n'en avaient pas. Aujourd'hui, je n'aime pas faire des envieuses, mais, à cet âge-là, on en jouit au contraire tant on s'imagine que toute parure un peu exceptionnelle va vous donner plus de valeur aux yeux des garçons !

Le remarquaient-ils ? Ils ne faisaient aucun compliment, plutôt quelquefois des critiques.

Je me souviens de mon dépit lorsque je revins de chez le coiffeur où m'avait conduite mon oncle ; j'avais à l'époque une chevelure épaisse et qui l'était plus encore d'avoir été frisée par une permanente ; cette tignasse m'auréolait la tête comme, aujourd'hui, celle de certains jeunes Antillais ou Africains... Un jour, mon oncle me dit : « Au cinéma, j'étais dans le fond, on ne voyait que ta tête au milieu de celle des autres : tu as l'air d'une vraie sauvage ! Va chez le coiffeur ! » Quand je sortis de ses mains après que non seulement il m'eut coupé les longueurs mais aussi, ce qui se faisait beaucoup, m'eut désépaissi les cheveux, mon oncle était satisfait : à ses yeux, j'étais rentrée dans la normalité ! Hélas, mes camarades n'apprécièrent pas et me dirent que j'avais perdu de mon identité, ce qui me peina d'autant plus que je ne savais pas qu'elle tenait pour beaucoup à mes cheveux en bataille.

En fait, nous présentions tous quelque chose, dans notre tenue vestimentaire ou notre physique, qui nous rendait particuliers. À cinq cents mètres ou plus, on reconnaissait aisément la silhouette de chacun sans qu'il fût besoin d'un second coup d'œil. De même, à skis, à sa façon d'évoluer, on savait de loin qui était qui.

Un autre élément nous singularisait : les bicyclettes. On m'avait envoyé de Paris – je me demande encore comment ce fut possible, mais toute période troublée a ses failles ou ses miracles – celle que m'avait offerte mon père pour mes quinze ans et que j'aimais tant : une Peugeot blanche, le plus beau modèle d'un magasin de l'avenue de la Grande-Armée, qui m'accompagna tout la guerre et au-delà.

On les volait, bien sûr, et je lui fis poser une sorte d'antivol assez élémentaire consistant en une languette qui s'introduisait entre les rayons. Par chance, ce malheur ne m'arriva pas et cette bicyclette – qui me rappelait mon père, lequel m'avait fait peu de cadeaux, surtout de prix – était la compagne de tous mes déplacements. Du moins dès que le dégel libérait les routes.

Christiane pédalait sur une sorte de grand vélo noir qui lui donnait un chic anglais mais dont la chaîne sautait trop souvent à son gré ; reste qu'il y avait toujours un garçon pour la lui remettre !

Nous habitions sur le plat du Mont d'Arbois, ce qui fait que rouler jusqu'au Planellet, le plus lointain hameau à l'époque, tout au fond de plateau, ne présentait aucune difficulté. Dans le sens contraire, c'était rapidement la descente, et comme il fallait bien que les garçons fassent les malins pour nous épater, c'était à qui se lancerait dans la pente sans freiner. L'obstacle majeur était le tournant en épingle à cheveux sur lequel s'ouvrait le chemin conduisant au *Petit Poucet*. Heureusement, car il sauva la vie à plus d'un qui, n'ayant pas freiné, incapable de négocier le tournant, put s'y engouffrer à pleine vitesse... Je me laissais aller un peu à la contagion, mais ma prudence naturelle me faisait ralentir avant l'exploit.

Ce qui ne m'empêcha pas de faire une chute brutale par-dessus mon guidon, au cours de laquelle je m'ouvris l'intérieur de la cuisse : j'en porte encore la cicatrice en bourrelet.

Le printemps venu, nous aimions nous rendre à plusieurs jusqu'au chalet du Tour, chez

Christiane, par des chemins cahoteux. Caillou, ornière, ma bicyclette pile sec, je suis projetée et me voici à terre. Je crois ne pas m'être fait mal, mais, en me relevant, je vois le sang gicler de ma jambe gauche : la poignée en pointe du frein s'est fichée haut dans cet endroit délicat et fragile. Mais ce n'est pas la vue du sang qui me choque, c'est d'avoir aperçu, par la plaie béante, une sorte de gras blanc ! Heureusement que ce coussin graisseux était là pour protéger l'artère. Que se serait-il passé, sinon, alors que nous étions bien loin du village… ?

Une fois de retour aux *Jonquilles*, un gros pansement fait de mouchoirs me compressant le haut de la jambe, ma tante alertée, fait appel au docteur qui désinfecte la plaie, pose plusieurs points de suture. Pour moi, je suis gênée : j'ai toujours eu horreur d'avoir à recourir aux soins médicaux. Il faut s'expliquer, répondre aux questions des uns et des autres, rester tranquille, allongée, le temps de la cicatrisation, parfois boiter… En fait, je n'aimais qu'une chose en famille comme en société : être et demeurer légère, quasi invisible, pour si possible ne causer aucun ennui, ne pas encombrer.

La guerre pesait déjà d'un tel poids sur chacun de ceux qui avaient cru se mettre à l'abri en se réfugiant dans ce coin presque perdu que semblait alors être Megève ! Cette illusion de sécurité ne dura pas. L'occupation avait toutes les caractéristiques d'un régime fasciste, avec une police française zélée, plus la Milice dont le réseau, au fil des mois, se renforçait autant qu'il se resserrait. Pour tous ceux qui étaient là, qu'ils s'en doutassent ou non, la vie se faisait de jour en jour plus précaire.

Cours de physique, de chimie, de sciences naturelles, de mathématiques, d'histoire, de géographie, de littérature : à Megève, en classe, on nous apprenait tout, sauf que nous étions des vaincus. Que nous venions d'être battus par l'Allemagne et que notre pays – ses ancêtres les Gaulois, son chapelet de grands rois, sa révolution, ses empereurs napoléoniens, sa victoire de 1918 –, désormais occupé par une armée étrangère, pourrissait sous la botte nazie.

Il faut dire que l'Éducation nationale, dont dépendaient nos professeurs, était sous la dépendance de Vichy, donc de Pétain. Et tous les matins, avant d'entrer en classe, il nous fallait chanter en chœur, en hissant le drapeau, l'hymne au Maréchal : « *Maréchal, nous voilà !* »

Si je ne mêlais pas ma voix à celle des autres, ce n'était pas par conviction politique, c'est qu'on m'avait dit, dès le catéchisme, que je chantais faux et que je ferais mieux de m'abstenir. Alors j'ouvrais la bouche sans qu'aucun son en sortît, tandis que nous nous entre-regardions en nous faisant des clins d'œil, moins pour protester contre le Maréchal, figure lointaine et pour nous assez dépourvue de signification, que pour indiquer à quel point nous trouvions cette cérémonie ridicule. Trop militarisée à notre goût d'adolescents vivant sur ce bout de territoire qui nous paraissait être encore celui de la liberté.

Ce chant d'une allégeance pour nous sans fondement – que venait faire ce Maréchal vaincu et chevrotant dans notre petite communauté ? – avait lieu sur le toit en terrasse, surmonté d'un mât et d'un drapeau, de notre collège ; car, au bout d'à peu près un an, j'avais quitté *Florimontane*, qui n'acceptait que les plus jeunes, pour entrer dans cet établissement plus avancé où l'on préparait au « bachot ».

Le Hameau était une curieuse construction d'inspiration moderne : tout en ciment, il s'élevait dans le tournant de la route du Mont d'Arbois. Je m'y rendais avec célérité en enfourchant ma bicyclette, mais en revenais à pied en la poussant dans la côte…

Presque tout de suite, et à mon grand étonnement, j'y fis des étincelles : avec un devoir de français ! Une « composition française », comme on disait alors, dont j'ai oublié le sujet. Je ne m'attendais pas à être citée et lue publiquement par notre jeune professeur et j'en tirai autant de fierté que de panache : les garçons, tous les garçons m'avaient remarquée du fait que moi – une fille – je leur avais damé le pion... Or ce n'était pas l'habitude, à l'époque, que les filles se révélassent meilleures en classe que les garçons, d'autant moins qu'elles n'avaient pas encore le droit de se présenter aux grands concours, ceux de Polytechnique, de Navale ou de Saint-Cyr (l'ENA n'existait pas encore).

Comme ce qui m'importait, c'était de plaire à l'autre sexe, je fis mine de n'accorder aucune importance à mes succès scolaires pour continuer à jouer les faibles femmes fatiguées d'un rien.

J'aurais dû persévérer, continuer à faire « profil bas » quand vint le moment de me présenter au baccalauréat qui se déroulait en deux parties, sur deux ans. La première avait lieu à Annecy où il fallut se rendre en car, et je la passai sans encombre grâce à deux chances. La première fut qu'on m'interrogea à l'oral sur le Limousin, région que je connaissais mieux que n'importe quelle autre pour y avoir passé toutes mes vacances d'enfant, ma mère et ma grand-mère en étant originaires : châtaigniers, pommes de terre, troupeaux de vaches, cèpes, bruyère, granit, porcelaine, Limoges, la Vienne, je savais tout... Ma deuxième bonne note m'échut à l'épreuve d'anglais : Miss Davis étant passée par là, j'étais plus calée que la moyenne des autres élèves – on ne pratiquait guère l'anglais sous l'occupation –, sans compter que j'avais l'accent !

Me voici donc reçue à ce premier bac et en train de préparer le second. J'avais choisi pour matière la philosophie. Je ne sais plus pour quelle raison, mais, à un certain moment, je me suis retrouvée la seule élève d'un fort jeune professeur. Il ne devait pas avoir vingt-cinq ans et, à l'époque, s'appelait Boyer ; c'est après la guerre qu'il reprit son vrai patronyme de Lévy. On nous avait alloué au *Hameau* une petite pièce fort mal chauffée, c'est-à-dire encore moins que le reste qui ne l'était pas beaucoup : le ciment ne vaut pas le bois pour conserver la chaleur, et, dans ce bâtiment moderne qui n'avait pas de cheminée, rien qu'un sommaire chauffage central le plus souvent éteint par manque de combustible, pour étudier nous gardions sur nous manteaux et canadiennes.

Afin de moins souffrir du froid, mon professeur et moi décidâmes de rester debout et de prendre de l'exercice en faisant l'un derrière l'autre, à bon pas, le tour de la table centrale. C'est ainsi que j'appris les rudiments de philosophie du programme : en marchant et, comme mon « maître » me poussait à prendre la parole, en discutant avec un garçon qui n'était pas beaucoup plus vieux que moi !

C'était certes passionnant, jubilatoire, même, mais peut-être un peu trop : le moment de l'examen venu – cette fois à Chambéry –, je me laissai aller librement à exposer mes idées comme je le faisais avec Frédéric Boyer que mon côté péremptoire – je pouvais l'être – amusait fort. J'avais choisi parmi les sujets proposés une phrase d'Emmanuel Kant qu'on nous priait de commenter : « Le ciel étoilé par-dessus nos têtes et la loi morale dans nos cœurs... » Cet aphorisme me paraissant fait pour moi, je me sentis plus qu'inspirée, transportée ! Et j'y allai sans retenue... Or, à mon immense désappointement, alors que je me voyais déjà félicitée, on m'infligea un « deux » – pour ne pas me coller un « zéro », j'imagine – et je fus recalée !

J'aimerais me souvenir de ma copie, mais tout ce qui m'en revient, c'est que du haut de mes dix-sept ans bravaches, je décrétais qu'il n'y a pas de loi morale ni dans le ciel ni ailleurs, seulement celle que chacun d'entre nous bricole à sa façon, en vue de son propre intérêt, selon ses besoins, en ménageant ce qui doit l'être pour échapper aux sanctions de la société, tout en obtenant le plus possible de ce qui va dans le sens de son désir. Cette définition « perso » de la morale, je crois que je la signerais encore aujourd'hui, mais elle ne plut pas – mais pas du tout ! – à l'examinateur (était-il vichyssois ?) !

Quelle ne fut pas ma déconvenue à l'annonce des résultats ! D'autant que Boyer – qui préparait l'agrégation – ne m'avait pas caché qu'il me considérait, lui, comme une excellente élève...

Mais le verdict était sans appel et il ne me resta plus qu'à travailler tout cet été-là pour me présenter à la session de rattrapage, en octobre. *Le Hameau* fermant l'été, il restait heureusement Mlle Lucas, à *Florimontane,* laquelle dispensait des cours aux malheureux « refusés ».

Cette chère demoiselle, qui pour son compte ne devait pas comprendre grand-chose à la philosophie, jugea bon, contrairement à Boyer, non pas d'en discuter avec moi, mais de me faire apprendre le manuel par cœur. Oui, par cœur ! J'ingurgitai toutes les questions traitées qu'elle m'obligeait à lui réciter sans que j'eusse le droit d'y changer un traître mot.

Ainsi chapitrée, gavée, le jour de l'examen, parmi les sujets proposés, je choisis la question la plus « bateau » – *L'Habitude* – et transcrivis d'une traite tout que ce j'avais retenu du manuel. Le résultat fut magique : reçue avec mention.

J'avais de surcroît appris une leçon qui, celle-ci, ne figurait pas dans le manuel : pour réussir à un examen, il convient de se conformer à ce que l'autorité scolaire attend de vous, c'est-à-dire à la pensée la plus plate, la plus banale, la plus conventionnelle qui soit... Les étincelles, si on a envie d'en faire et si on en a le goût, la possibilité, le talent, ce sera pour plus tard !

Cet enseignement par l'échec, je l'ai répété à bien des jeunes, autour de moi, avant leurs examens ou leurs concours – fût-ce celui de l'ENA auquel se présenta et que réussit brillamment mon jeune cousin Henri Paul... Il vaut de même pour ceux qui posent leur candidature à un poste ou à un autre. Je leur recommande de choisir des questions aussi « gnangnan » que *L'Habitude*, et de régurgiter le manuel ! La société a peur du nouveau, de l'impromptu, de l'inédit ; en fait, de tout ce que j'aimais sans encore bien le savoir !

Toutefois, un paragraphe du manuel, pas même un chapitre, m'avait retenue : celui où il était question de Sigmund Freud. Il n'en était pas dit grand-chose, mais juste assez pour m'émoustiller : il avait donc existé quelqu'un – disparu tout récemment, en 1939 – qui s'était intéressé à ce qui me paraissait constituer la question essentielle : le fonctionnement de l'esprit humain !

Mais je n'avais pas vraiment d'argent, à l'époque, en tout cas pas de quoi m'acheter des livres, et j'ignorais même s'il existait une librairie à Megève. Je ne songeai donc pas à me procurer les ouvrages de Freud, pas plus qu'il ne me vint à l'idée d'en parler autour de moi. Je crois que le mot « psychanalyse », en ce temps-là, autour de moi, ne disait rien à personne. Je classai donc le sujet dans un coin de ma tête d'où il devait ressortir, puissamment, beaucoup plus tard. Quand les nazis, en même temps qu'ils perdaient la bataille des armes, perdirent – c'était tout aussi important, sinon plus – celle des idées.

Les premiers mois et même la première année, je ne quittai pas une seule fois Megève : quand nous retournions dans la vallée, nous appelions cela « descendre », c'est dire le négatif ! Quand il le fallut pour aller passer les épreuves du bac à Annecy, puis à Chambéry, je me souviens de ma hâte à « remonter » en bus, puis à pied, jusqu'aux *Jonquilles* pour y respirer l'air de l'altitude, devenu « mon » air.

L'une de mes lectures favorites, lorsque j'étais enfant, était l'histoire de Heidi, cette petite Suissesse qu'on envoie vivre sur les hauteurs des pâturages chez un vieux berger et qui se sent si heureuse, entre ciel et montagne, dans l'odeur de l'étable à chèvres, couchant dans le foin, qu'elle souhaite ne plus jamais en repartir.

Je devins vite une sorte de Heidi, et moi qui ne jurais jusque-là que par mes collines limousines, je m'attachai passionnément à la montagne et à cette chose impalpable, incontrôlable, miraculeuse qu'est la neige.

Dès que tombaient les premiers flocons, nous sortions sur le balcon ou sur le pas de la porte pour lever notre visage, yeux fermés, vers le ciel. Douce caresse, mouillée comme la rosée ou les larmes du bonheur !

Cette première chute d'automne, si même elle atteignait le sol, ne tenait pas, la terre étant encore trop chaude de l'été. Mais, un matin, c'était fait : pendant la nuit, une fine couche immaculée s'était uniformément répandue et couvrait tout, comme un drap qu'on tire.

Sur le plateau du Mont d'Arbois, nous étions plus haut de quelque deux cents mètres, et si la première neige tenait alentour, elle fondait dans les rues et sur les toits de Megève qui en paraissaient sales. Ce qui nous faisait plus encore – s'il en était besoin – apprécier de vivre sur la hauteur.

Ce privilège n'allait cependant pas durer : quelques jours plus tard, tout Megève était comme nous, encoconné de la tête au pied, et il fallait s'y adapter.

S'il avait neigé pendant la nuit, on commençait par déblayer à la pelle le perron, l'escalier, ainsi que le chemin qui menait à la route. Pour ce qui est d'elle, c'est le chasse-neige, très attendu, qui s'en chargeait. Je ne sais s'il fonctionnait à l'essence, rationnée, mais, pour nous, il faisait figure de sauveur : l'instrument qui nous permettait de rester reliés déjà les uns aux autres – nous n'étions pas très nombreux sur le plateau du Mont d'Arbois, une cinquantaine – et aussi au bourg. Ceux qui étaient pressés et en avaient l'habileté y descendaient à skis. Remonter était plus coton, car si le chasse-neige n'était pas passé, ou si la tempête sévissait, il fallait revenir en peinant à chaque pas, la paire de skis sur l'épaule. Ce qui, trop lourd, n'était pas dans mes moyens.

Toutefois, un chemin direct, en pente raide, permettait de relier au plus vite le mont d'Arbois à Megève où il débouchait juste avant la patinoire. Tout en tournants, ce chemin raviné, dit *Le Calvaire*, était jalonné de ce qu'il restait des stations du Christ érigées autrefois par un prêtre, Ambroise Martin, alors curé de Megève. En émergeait, au milieu du parcours, une croix de fer sur son socle, au pied de laquelle j'appréciais de faire étape. De toute façon, il méritait bien son nom et rien que d'y penser, j'en perds encore le souffle ! Mais ce raccourci était bien commode en été et nous l'empruntions souvent pour éviter le long trajet par la route en lacets. S'il était dur à remonter, du moins pouvait-on s'arrêter – les stations ! – et contempler un paysage de plus en plus beau au fur et à mesure que l'on grimpait, récompense chérie des montagnards et des ascensionnistes.

Quoique modérée dans mes exercices, il m'arrivait, l'été, d'aller me promener seule, à pied, sur les pentes raides du mont d'Arbois où s'élevaient quelques bergeries. Deux ou trois fois, je me livrai même à un exploit : je remontai le cours du Planay, un torrent qui descendait parfois en furie, parfois en ruisselets, des pentes du mont Joly jusqu'à Megève où il prend le nom des Cordes. C'était un peu périlleux : si j'étais tombée, m'étais tordu une cheville, on aurait mis du temps à me retrouver, car personne ne savait que je m'étais aventurée de ce côté-là.

C'était le but : à force d'être tenue à l'œil, passant de l'école à ma bande et à ma famille, si je m'y sentais en sécurité quelque chose en moi, comme chez tout être humain, aspirait à une liberté plus complète. À ce qui risquait de ressembler à de l'aventure. (Que d'adolescents ou même de plus mûrs se sont égarés, parfois mortellement, pour obéir à cette pulsion !)

Je dois à ces timides escapades mes plus fortes sensations. À un moment donné, le torrent tombe en une forte cascade, la cascade Stassaz, et il faut contourner son cours en escaladant la paroi aux roches croulantes qui la borde – j'y mettais les mains – pour se retrouver au départ de la chute. Quelle impression magistrale :

devant soi, l'eau mugissante qui se précipite dans le vide ; autour, une vaste vue d'un côté sur Rochebrune, de l'autre sur le mont d'Arbois, en face sur le Jaillet et la chaîne des Aravis... Tous ces noms, auxquels il faut ajouter ceux du mont Joly, des aiguilles de Warens, de la vallée de l'Arly, du mont Charvin, pour les avoir tant de fois entendus forment encore à mes oreilles comme un poème... Des oiseaux me survolaient ; une faune bruitait autour de moi : lapins, mulots, insectes... Sinon j'étais seule, seule avec moi.

Une sorte d'expérience métaphysique !

Est-ce pourquoi je prenais soudain peur ? Je rentrais en courant, dégringolant bien plus vite que je n'étais montée, mais, une fois retrouvés les miens, je ne disais rien. Cette virée jusqu'à la cascade était mon secret, comme le journal intime auquel je commençais à confier ce que ressentent tous les jeunes : leur sentiment de ne pas appartenir tout à fait à l'espèce humaine, ni même à cette planète. Ce qui est probablement vrai : on finit par s'y faire, à la vie sur terre, jusqu'à regretter d'avoir un jour à la quitter, mais nous venons d'un ailleurs où nous retournerons. Monter vers les sommets – comme aussi voler –, c'est tenter de s'en rapprocher pour en connaître un peu l'avant-goût.

Mieux que la ville, Megève me permit d'éprouver cette nostalgie de l'infini, et je me rappelle, un jour que tombait une sorte de brume qui devint épais brouillard dans lequel il me devenait difficile de m'orienter – j'étais à flanc de coteau, assez loin du chalet –, de m'être dit : « Quelle sera ma vie, que vais-je devenir ? » Bien que voulant tout, telle Antigone, en définitive je ne souhaitais rien.

En sus des chalets contigus au nôtre, il s'en élevait quelques autres sur le bord du plateau, surplombant Megève. On y accédait par une petite route qui conduisait à une énorme construction, un bâtiment de belle allure qui était, m'avait-on dit, l'hôtel du Mont d'Arbois, fermé depuis la guerre par manque de chauffage. En contrebas, derrière lui, se trouvaient les chalets des Schreiber, des Gervais, et aussi des Rothschild.

C'est une baronne de Rothschild qui, me dit-on, avait eu, la première, l'idée de se faire construire un chalet à cet endroit qui dominait magnifiquement le village encore rural qu'était Megève avant-guerre. Quant à l'homme qui deviendrait mon beau-père – comme il est curieux qu'on n'ait jamais aucune intuition de son avenir, même tout proche ! –, entraîné par la pionnière il s'était fait bâtir un « home » non loin du sien.

Ces deux familles n'étaient pas du même monde (ne disposaient pas non plus des mêmes moyens), et ne se fréquentaient guère, mais elles avaient toutes deux le sens de l'inhabituel ; j'entends par là : des meilleurs endroits où installer sa demeure, planter sa tente. À Paris, toutes les résidences qui ont appartenu aux Rothschild, que ce soit près du bois de Boulogne, ailleurs dans la capitale, ou partout en France, s'élevaient sur des lieux prestigieux – jusqu'à ce qu'ils aient à s'en déposséder, volontairement ou pas, mais c'est une autre histoire.

Faut-il en conclure que, de manière immémoriale, les juifs, acculés la plupart du temps au nomadisme, en tirent au moins cette faculté : aux époques et dans les pays où cela leur redevient possible, un don et un goût sûr pour choisir où s'installer ? Pour moi, je n'ai pu que demeurer là où les miens étaient établis depuis des générations : en Limousin, en Charente, forcée par là même – ce fut un crève-cœur – à renoncer à ma terre d'adoption : la montagne...

Qui vit dans des pays de neige apprend bon gré mal gré qu'il n'y a pas qu'une neige, mais qu'elle est multiple. Tout le monde connaît la neige fraîchement tombée, la poudreuse. Encore y a-t-il déjà des distinctions à faire : la poudreuse est plus ou moins légère, ses cristaux – ces petites étoiles à la géométrie parfaite, semblables à celles qu'on voit dans la lunette d'un kaléidoscope – sont plus ou moins apparents et entiers. Très vite, la neige se tasse jusqu'à devenir compacte, dure, formant une croûte qui recèle plus ou moins d'aspérités, et qui, selon le temps, peut se transformer en glace et constituer une épaisse et traîtresse couche de verglas.

Car ce matériau, s'il n'est pas sablé ou salé, se révèle vite un piège pour les voitures comme pour les chevaux et les piétons. On se racontait, à Megève, l'histoire du citadin qui descend du car dans ses chaussures de ville, met un pied sur le sol, glisse, se casse la jambe. On le rehisse dans le car pour le ramener à Sallanches, droit à l'hôpital, sans qu'il ait fait plus que ce seul pas !

Au moment du dégel, la neige se transforme en gros sel mouillé : collante, plus facile à marcher cette matière est la plus dangereuse lorsqu'on skie – elle m'a d'ailleurs valu une fracture de la jambe, des années plus tard –, car on s'y enfonce et s'y englue sans pouvoir s'en extraire. Pas plus que de la neige profonde dans laquelle il est recommandé de ne jamais skier seul.

Neige en grumeaux, neige légère sur le versant d'une bosse, compacte sur l'autre, neige lisse à l'aspect innocent alors qu'elle dissimule sournoisement des trous, des fossés, des piquets, neige mouillée, neige fondante, neige en stalactites qui s'écroulent et choient soudain du toit sur les têtes, sa variabilité est infinie, comme savent et s'en méfient les gens du cru.

C'est au regard qu'on finit par déceler ce qu'il en est d'elle au matin. Et ce sera encore différent dans l'après-midi ou quelques mètres plus loin... Au début on se trompe, se laisse piéger – la neige, croit-on, est une sorte de gros édredon adoré des enfants –, on y va franchement et patatras ! Mais, après maintes chutes et contretemps, on devient, soi aussi, un expert à qui « elle » ne le fait pas ! À la longue, j'ai fini par conclure, ce que savent tous ceux qui la pratiquent : la neige est vivante !

Quel que fût l'amour que j'avais pour cette ensorceleuse, fin février/début mars, selon les années, j'éprouvais une sorte de joie animale, viscérale, à noter les premiers signes du dégel. Contre un mur ou au milieu de la chaussée une plaque dénudée laisse apparaître ce dont on avait oublié l'existence : une poignée de graviers, quelques cailloux, un bout de pierre ou de ciment. Enfin – et c'était le miracle, le début de la renaissance – les premières fleurettes ! Jaunes d'abord, comme partout au printemps (primevères et jonquilles), bientôt bleues (gentianes), blanches (marguerites), roses (digitales), jusqu'à composer l'immense tapis multicolore et sauvage qui met la montagne en gloire.

Cette toute première efflorescence, j'en cueillais quelques brins pour vite les rapporter à la maison, les installer dans un verre et les faire admirer de tous ! De l'hiver j'avais aimé la chape silencieuse, mais le retour des beaux jours, pouvoir se promener bras nus, quitter ses lourds godillots pour des sandales, sortir les vélos du garage et regonfler leurs pneus, rouler jambes à l'air et cheveux au vent, quelle joie !

En cela aussi, la montagne, comme tous les pays du froid, offre un charme particulier : les saisons y sont si marquées qu'on a le sentiment, en passant de l'une à l'autre, de changer totalement de vie. On ne fait plus les mêmes choses, ne se comporte plus de la même manière, à la limite on parle autrement !

Tout comme moi mes amis ressentaient si fort l'appel du printemps qu'il leur arrivait de chercher à le précéder, et je vois encore la silhouette zigzagante de certains garçons tentant de rouler à bicyclette sur le peu de goudron qui faisait surface entre les plaques de neige glissantes.

Pour nous, les filles, nous songions avant tout à ressortir nos tenues d'été : jupes et chemisiers, la note de fantaisie résidant dans un foulard ou une large ceinture pour enserrer nos tailles minces – difficile d'être obèse ou même enveloppée en temps de guerre ! –, car nous savions d'instinct qu'une taille fine est un atout !

En même temps que notre mode de vie se diversifiait, s'ouvraient à nous des chemins impraticables l'hiver, comme ceux qui enserraient le grand hôtel du Mont d'Arbois. Par volonté de la baronne de Rothschild et de sa société, cette forte et belle bâtisse avait été édifiée en retrait à une cinquantaine de mètres de la route. La propriété des lieux ne nous concernait évidemment pas ; tout ce que nous savions, c'était que, l'été, l'intérieur de cette sorte de paquebot nous était parfois accessible. En effet, l'hôtel était placé sous la garde d'une famille suisse, les Parodi, dont le chalet se situait à proximité du bâtiment principal. Monsieur Parodi avait pour mission d'empêcher toute déprédation et toute intrusion – l'hôtel put reprendre du service sitôt après la guerre – et veillait jalousement sur ce qu'il considérait comme son bien propre. Parodi avait quatre enfants dont le fils et la fille aînés – skieurs si émérites que la fille skiait en jupe et le garçon en pantalon de ville – faisaient partie de notre bande.

Lui, l'aîné, sérieux, concentré, était le flirt attitré de Colette, ce qui nous valut certains privilèges : un peu plus âgé que nous, il disposait parfois des clés de l'hôtel, son père lui demandant d'y jeter un coup d'œil, d'ouvrir ou de fermer certaines portes et fenêtres pour aérer, et Francesco nous permettait d'y pénétrer à sa suite.

Du moins à quelques-uns d'entre nous dont je faisais partie. Pour nous qui vivions dans des espaces restreints – c'est le cas des chalets de montagne où le but premier est de concentrer et conserver la chaleur –, c'était le château des contes de fées ! Le hall était immense, de même que les fauteuils clubs et les gros canapés qui le meublaient. S'y trouvaient un bar, des couloirs sans fin, et y errer, y galoper même, nous enchantait !

Encore plus de savoir que nous jouissions là d'un passe-droit qui ne valait que pour nous ! La jeunesse a besoin de se retrouver dans des lieux auxquels les adultes n'ont pas accès : caves, grottes, chantiers, terrains vagues, mieux ou pis encore...

Nous ne faisions aucun mal, nous étions respectueux du bien d'autrui, veillant surtout à ne pas nuire à Francesco qui nous avait permis de nous introduire dans l'hôtel à l'insu de son père. Par ailleurs, nous nous faisions du bien ! Il pouvait donc y avoir un autre monde, plus vaste, plus luxueux que celui dans lequel la guerre nous confinait ! C'était le monde du passé, mais qui sait si une telle splendeur disparue n'allait pas un jour réapparaître ?

Celle-ci nous fascinait d'autant plus que les vastes baies n'étant qu'à demi ouvertes, y régnait un clair-obscur favorable aux rêveries, aux fantasmes, aux prodiges de l'imaginaire – comme aussi aux baisers volés.

À Megève, comme dans toutes les agglomérations, qu'elles soient grandes ou petites, coexistaient plusieurs couches de population qui se différenciaient avant toute autre chose par l'âge d'installation.

Venaient d'abord les gens du cru, fermiers, commerçants, hôteliers, employés des hôtels et du téléphérique, membres de l'école de ski, de la poste, de la mairie, artisans dont beaucoup vivaient là depuis plusieurs générations. Les mêmes noms : Duvillard, Socquet, Muffat, Morand, Seigneur, Méridol, Grosset, Roy, etc. se retrouvaient souvent. Ces Mègevans de souche se réjouissaient de voir leur gros bourg accéder au stade envié de station touristique à l'instar de Chamonix, porte de la Vallée Blanche et du Mont-Blanc, depuis longtemps mieux reconnu et plus fréquenté.

En dessous ou au-dessus, comme on voudra, il y avait les résidents plus ou moins permanents, propriétaires de maisons et de chalets qu'ils avaient fait construire ou aménager à partir de vieilles habitations pour leurs vacances ou leur retraite. Ceux-là ne travaillaient pas, mais contribuaient à faire marcher le commerce et progresser la réputation de la station. Vu leur ancienneté, ils se considéraient comme chez eux, connaissaient les lieux dans les moindres coins, étant eux-mêmes connus de tous et connaissant tout le monde.

Sur cette population d'origine était récemment venue s'en greffer une autre : celle des réfugiés. Ils étaient de tous genres, de tous niveaux et constituaient des clans différents. Les uns, souvent seuls, cherchaient un abri provisoire jusqu'à ce qu'ils eussent trouvé le moyen de passer une frontière vers un pays neutre, comme la Suisse ou en Afrique du Nord *via* l'Espagne. D'autres, après s'être forgés une identité nouvelle, tâchaient de se procurer un travail, fût-ce au noir, qui leur permettrait de subsister avec leur famille.

J'appartenais par les miens au groupe plutôt voyant de ceux qui, bien que réfugiés pour diverses causes, autrement dit fuyant les Allemands, ne cherchaient que fort peu à se cacher. Les gens de notre espèce, du fait qu'ils faisaient jusque-là partie du meilleur monde, se connaissaient pour la plupart et, même dans la tourmente, loin de chez eux, conservaient le sentiment de leur importance. Ici comme ailleurs il fallut du temps à des personnes haut placées avant-guerre pour qu'elles se sentissent menacées comme n'importe quel quidam, et finissent par estimer nécessaire de se protéger en se noyant dans l'anonymat de la foule.

Et si ma tante, qui n'était pas juive, ne criait pas sur les toits que son mari l'était, elle écoutait paisiblement sa radio anglaise – *popopopom* – tous les soirs ! Elle avait affiché au mur une carte de l'Europe sur laquelle elle déplaçait des épingles reliées entre elles par des fils à coudre de couleur pour représenter les différents fronts. Au fur et à mesure du retrait des troupes hitlériennes de Russie, aussitôt su qu'épinglé, chaque centimètre gagné provoquait des explosions de joie qu'elle tenait à faire partager à ses visiteurs.

Imprudence ? En dehors des enfants mineurs, il ne restait que des femmes dans notre groupe ; tous les hommes s'en étaient allés les uns après les autres. On finissait par ne plus rencontrer dans les rues que les mâles du cru, dont les fermiers et ceux qui se sentaient trop âgés pour fuir.

Les disparus ne donnaient guère de nouvelles à l'époque, ou en grand secret par l'intermédiaire d'un résistant débarquant à l'improviste. Le plateau des Glières, haut lieu de la Résistance, n'était pas loin et les réseaux qui en dépendaient se multipliaient. Quelle toile d'araignée que la Résistance, en plus infiltrée par des traîtres, ce qui compliquait les contacts ! Parmi les Mègevans, beaucoup choisirent d'être partisans – on ne le sut que plus tard –, ce qui fait qu'au bout d'un certain temps, les uns se rangeant du côté de De Gaulle, d'autres choisissant de résister sans s'inféoder à Londres, les derniers, enfin, s'obstinant à servir Pétain et l'occupant, l'on ne pouvait plus être sûr de personne, pas même au sein de sa propre famille.

Je n'avais pas conscience de cet imbroglio, nous ne lisions pas les journaux et je n'écoutais pas la radio avec ma tante, trouvant bizarres ces diffusions ponctuées de phrases énigmatiques, de dictons, de propos en apparence anodins, mais je sentais croître autour de nous une excitation tourbillonnante. Quelque événement aux allures de fête se préparait en sourdine, on en percevait déjà les prémices sous les dehors d'une exaltation qui tenait du lâcher prise... Aujourd'hui, on dirait qu'on « s'éclatait » ! Et comme dans toutes les situations extrêmes, ce que favorisaient ce sentiment du danger, ces allées et venues, ces départs, ces retours, ces secrets tus, surpris, partagés, en somme cette immense aventure de l'avant-Libération, qui risquait pour certains de se révéler mortelle – et qui le fut –, c'était l'amour.

Nous, les jeunes, nous nous y étions précipités les premiers, comme Gribouille se jette à l'eau, mais nous n'avons pas compris tout de suite qu'il en allait de même pour les adultes. Et qu'ils y allaient plus fort que nous, peu retenus par des interdits que la guerre n'arrêtait pas de faire sauter !

Car ces femmes délaissées – qu'était devenu leur mari, leur compagnon ? –, ces hommes de passage, ces êtres à la dérive, loin de leurs habitudes et de leurs foyers, ne se sentaient plus contraints par rien, à peine par le qu'en-dira-t-on du village… Mais que leur importait, à vrai dire, l'opinion de ces Mègevans qu'ils connaissaient à peine et ne reverraient peut-être jamais plus après le retour – qui finirait bien par survenir – à la vie d'avant ?

D'où quantité d'aventures plus ou moins rocambolesques, de liaisons plus ou moins brèves et passionnées… Tout finissait par se savoir – allez dissimuler vos traces dans un pays de neige, sur des chemins et des routes d'altitude où, même quand on ne vous guette pas, on vous aperçoit de loin ! D'autant qu'on avait eu tout loisir, avant la dernière déferlante d'hommes en uniforme, d'abord les troupes italiennes, ensuite les pires, les allemandes, de jaser, médire, s'émouvoir… Et il y eut sûrement encore plus d'histoires, de rapprochements surprenants, de rencontres sans lendemain, qu'on ne l'a dit et su.

Car si on y allait parfois à bride abattue, à d'autres moments ne rien divulguer, effacer ses traces, se méfier des confidences, toutes ces pratiques issues de la Résistance s'utilisaient, par contagion, dans le domaine amoureux.

On peut considérer que de tels débordements en temps de guerre ne sont pas très sérieux. Alors que partout en Europe des gens risquent leur vie, sont pris en otages, fusillés, déportés, d'autres ne songeraient qu'à cheminer et folâtrer sur la carte du Tendre ?

Or c'est prendre aussi des risques que de mener des intrigues amoureuses dans une période où sévit l'ordre moral réclamé, imposé par Vichy et Pétain. Car rien ne pousse autant à la dénonciation que la jalousie, et la jalousie amoureuse n'est-elle pas la pire de toutes ?... Par ailleurs, c'est la passion amoureuse qui donne énergie et courage pour traverser les épreuves : « *J'attendrai le jour et la nuit,* chantait-on à l'époque, *j'attendrai toujours ton retour, car l'oiseau qui s'enfuit vient chercher l'oubli – dans son nid...* »

Et plus d'un « oiseau » parti vers la liberté se l'accordait de son côté dans bien des domaines ! À Alger, par exemple, si l'on tremblait, complotait, s'organisait, gagnait ou perdait de l'argent, on s'amusait aussi... Alors, pourquoi pas à Megève où, au commencement, l'ennui minait ces esseulées qui en venaient à organiser des bridges quasi quotidiens ? Bridger en temps de guerre ! Mieux valait encore les jeux de l'amour et du hasard…

Certaines de ces histoires coquines me furent racontées, en particulier par ma tante, plus au courant que moi, mais pas sur le fait, bien après la guerre, quand elles furent totalement désamorcées et qu'on ne pouvait qu'en rire.

Ma tante s'attardait volontiers sur celle d'une de ses connaissances, nantie à la fois d'un mari collabo et d'un amant résistant ; chacun, occupé à ses affaires dans un des camps opposés, ne venait la visiter à Megève que rarement. Cette personne tout à fait charmante ne craignait qu'une chose : que les deux hommes débarquassent en même temps – ils arrivaient toujours sans prévenir – pour se retrouver nez à nez chez elle ! Qu'est-ce qui les aurait dressés le plus fort l'un contre l'autre : la rivalité amoureuse ou la divergence politique ?

La rencontre tant redoutée finit par avoir lieu à la suite d'une dénonciation anonyme envoyée au mari (l'ordre moral…). L'époux et l'amant se poursuivirent pour se battre à coups de tessons de bouteilles jusque dans les rues du village, jurant de se tuer une fois la guerre finie – ce qui n'eut pas lieu : après la Libération, l'un et l'autre quittèrent leur femme et maîtresse commune, qui ne sut lequel pleurer davantage…

Toujours pour cause d'infidélité, des affrontements moins civilisés aboutirent à des tueries à l'heure de la Libération, comme partout en France. On tenta de les imputer à des règlements de comptes politiques alors qu'en fait, beaucoup étaient d'ordre privé, et les femmes, comme souvent, en firent les frais.

Peu avant cette période de grand désordre, sur la décision avisée de ma tante, consciente que l'ambiance tournait au noir, nous rentrâmes à Paris. Depuis un moment courait la rumeur d'un proche débarquement allié, et prévoir ce retournement de situation exaspérait les passions : les vaincus de la veille, se voyant déjà vainqueurs, préparaient leur vengeance et le laissaient entendre. Ce qui fait que ceux qui se sentaient visés à tort ou à juste titre prenaient les devants en ratissant ferme et parfois large, dès qu'ils le pouvaient, avec le concours des Allemands et de la Milice… Megève était proche d'Annemasse, d'Annecy, de Chambéry ; partout les masques avaient commencé de tomber et les fourmis, dont la fourmilière se disloquait, s'étaient mises à courir et grouiller en tous sens…

C'est juste avant de nous séparer que nous découvrîmes avec effroi que, malgré notre âge, nous n'étions pas autant à l'abri qu'on nous l'avait laissé croire. L'un de nos tout jeunes camarades – il avait à peine seize ans –, André R., fils d'un marchand d'articles de sports, avait eu le front d'aider secrètement la Résistance. Pris

– dénoncé ? –, il fut emprisonné à Lyon où, en dépit de son jeune âge, il fut fusillé.

Je ne le sus qu'après la guerre, et, avec la mort en déportation de Pierre T., ce fut l'un des premiers coups portés à la confiance que je faisais jusque-là à la vie. Plus tard, à Paris, Henri Lemaignen, un ami, à peine mon aîné, déçu de n'avoir pu, vu son âge, participer à la Résistance, s'engagea dans l'armée française ; envoyé en Indochine, au désespoir de ses parents qui l'avaient vu partir avec fierté, il y fut tué.

C'est qu'à l'époque la guerre exerçait encore un charme auprès de la jeunesse – *Ah, que la guerre était jolie,* avait naguère chanté Apollinaire –, et l'uniforme exerçait comme toujours son puissant attrait sur les filles. (Sans doute celles qui étaient allées avec des soldats allemands y avaient-elles succombé également...) Il fallut les guerres de la décolonisation et la révélation de leur sinistre cortège d'horreurs pour, en France du moins, remettre la guerre à sa vraie place : celle d'une œuvre de barbarie et de mort.

Doit-on parfois ranger l'amour dans cette barbarie-là ?

L'une d'entre nous, celle qui justement paraissait la plus forte, sereine, lumineuse même, et souvent silencieuse, mourut subitement. Elle avait en cachette enfreint le code qui voulait qu'on ne fît pas l'amour complètement, et elle était tombée enceinte. Comment l'avouer à ses parents, particulièrement religieux, conformistes et sévères ? Craignant plus que tout le scandale, la jeune fille avait tenté de s'avorter elle-même. Une infection, qu'elle n'avoua pas non plus, se déclara, et elle en mourut.

Bien sûr, on nous dissimula la cause de son décès, qu'on mit au compte tantôt d'une mauvaise grippe, tantôt d'une « intoxication ». C'en était une, d'une certaine façon, dont nous étions tous et toutes menacés, faute d'informations et de mises en garde suffisantes.

Mais, chez la plupart des filles, quelque chose d'atavique, transmis au berceau par une éducation coercitive – interdit ne fût-ce que de se masturber ! – faisait qu'on redoutait tellement de tomber enceinte et d'être alors considérée presque à l'égale d'une criminelle, en tout cas comme une délinquante, qu'on préférait s'abstenir.

Ce qui n'empêchait bien sûr pas – et même, au contraire – le désir de nous tenailler. D'autant que nous étions à l'âge où il se révèle le plus impérieux. Terriblement contenue, cette pulsion nous jetait dans les bras les uns des autres quand nous dansions. Serrés au point de ne faire presque plus qu'un, joue contre joue – *cheek to cheek* –, nous nous balancions à deux comme on se berce, pendant des heures, en plein après-midi, au rythme des blues et des slows. Les parents pouvaient entrer, il ne se passait rien d'incorrect ni d'apparemment impudique. En réalité, nous étions en transe et un rien, une étincelle aurait pu faire voler en éclats les barrières… Reste que l'on ne buvait pas d'alcool, pas même de bière – y en avait-il ? on trouvait rarement du vin sur la table des adultes –, aussi, filles et garçons, nous n'avions pas trop de mal à tenir fermement les rênes…

Autre motif de chasteté : la terreur d'être mal jugés par nos pairs, et elle se révélait plus forte encore que celle que nous inspiraient les parents. Dans toutes les sociétés closes sur elles-mêmes – nous vivions comme dans un club où l'admission par cooptation était rare et difficile –, il existe des règles le plus souvent non-dites. Les enfreindre, c'est tomber sous le coup de l'opprobre générale, s'exclure soi-même. Même si la menace n'est pas formulée, chacun la ressent comme une évidence. Ce qui fait qu'entre nous, on ne couchait pas. En dehors de la danse, restait à se dépenser en marchant, en skiant, à bicyclette…

Quand on retrouva notre malheureuse amie morte au pied de son lit, peut-être baignant dans son sang, le drame fut si soigneusement étouffé que je ne me souviens pas même d'un enterrement ; seulement d'un chagrin général et de notre incompréhension. À notre âge aussi, nous pouvions donc mourir ?

Rien, pas même la guerre, ne peut empêcher la jeunesse de célébrer, un jour ou l'autre, ses noces avec la vie. Le plus souvent, la fête ne dure qu'un instant et survient à l'improviste, comme si l'on était frappé par la foudre, la proie d'une illumination. Une révélation si forte, si rare, aussi, qu'on s'en souvient toujours. Comme si nous était alors dévoilé quel est le but, la raison, le fondement de notre existence : incarner la joie d'être au monde, quoi qu'il advienne.

Ce soir-là, nous marchions en bande, nous tenant le bras par trois ou quatre, au milieu de la route du Mont d'Arbois, en direction du fond du plateau – aucun véhicule ne circulait après la grosse et récente chute de neige. La nuit tombait, les étoiles se levaient, on ne devait pas être loin de Noël, une neige épaisse et légère recouvrait tout, même les branches des arbres. Elle crissait sous nos lourdes chaussures, seul bruit audible.

Bonnets, moufles, écharpes, nous étions emmitouflés et le froid extérieur qui me frappait au visage me faisait mieux apprécier la chaleur de mon corps confortablement couvert. Bordant le chemin, une rangée de grands sapins à la sombre et inquiétante silhouette nous dominait : on eût dit des sentinelles défendant l'accès de quelque royaume de géants.

Est-ce parce que, auprès d'eux, nous nous sentions effrayés d'être si petits ? D'un seul élan, nous nous mîmes à chanter. Des refrains connus de tous, comme *Auprès de ma blonde*, *Ramona*, *À la claire fontaine*...

Voix de filles et de garçons mêlées, fous rires de ceux qui s'emmêlaient dans les paroles ou la mélodie : nous resserrâmes les rangs ; je me retrouvai entre Lydie et Jean-Claude et coulai brusquement dans un abîme de joie !

Il m'apparut que je n'aurais plus jamais peur, puisque j'étais avec mes semblables – cette déambulation en commun en était la preuve –, que je serais toujours accompagnée, que tout le temps de ma vie avec eux je chanterais d'une seule voix, marcherais d'un même pas. Le monde extérieur pouvait se révéler glacial, menaçant, receler des dangers ignorés, peu importait, nous allions les braver, les traverser ensemble, et la lumière était au bout. Comme celle de ces étoiles vers lesquelles je levais les yeux, rejetant sans crainte la tête en arrière, puisque les autres assuraient ma marche autant que la leur.

Je ne sais pas vraiment ce qui m'a ainsi plongée dans l'allégresse, si ce n'est d'être entourée de jeunes de mon âge ou de sentir si fort la puissante présence de la montagne que son épais manteau de neige défendait contre tout.

En une autre occasion – l'été, cette fois –, j'éprouvai de nouveau un sentiment du même ordre : une jubilation qui me parut définitive comme si j'étais enfin arrivée à ce que je souhaitais depuis toujours. L'occasion, là aussi, semblait banale : avec la permission des parents, nous avions organisé un pique-nique nocturne dans un petit bois situé sous l'hôtel du Mont d'Arbois, d'où l'on pouvait apercevoir les lumières de Megève. Bien discrètes par ces temps de restrictions en tout, y compris en électricité.

Nous avions pris dans des paniers de quoi nous sustenter, quelques couvertures pour nous asseoir, au besoin nous réchauffer, et l'un de nous avait un électrophone à piles qu'il mit en marche avec nos airs préférés.

Chacun s'attroupa selon ses préférences et j'eus la satisfaction un peu vaniteuse d'être aussitôt entourée par plusieurs garçons. La nuit achevait de tomber, les conversations se firent plus feutrées, les plats de nourriture – pâté, gâteaux faits maison – circulaient de main en main. Après avoir ramassé alentour un peu de bois mort, quelqu'un alluma un feu odorant. Je ne voulus rien prendre : chaque fois que je me sens très heureuse, je n'ai pas envie de manger, respirer me suffit. Ou boire, à la rigueur, pour ne pas tout refuser de ce que l'on m'offre.

Je ne cherchais pas à séduire, je ne souhaitais ni qu'on m'embrasse, ni qu'on me tienne la main : j'étais au-delà, dans l'amour. Je les connaissais un à un, ceux qui étaient là, allant et venant, debout, assis, bavardant, riant, alimentant la flamme, et là aussi je les chérissais tous, comme sur la route glacée – mais, cette fois-ci, l'air était tiède. Et j'eus à nouveau le sentiment que je venais d'atteindre un sommet dont je ne redescendrais plus, que je ne voulais plus quitter.

Ce devait être vrai : puisque je m'en souviens si bien aujourd'hui, une partie de moi, la meilleure, a dû rester là-haut sur la montagne, parmi mes compagnons d'alors, n'ambitionnant rien d'autre.

Mais ma plus vive intuition, du fait qu'elle me parut venir d'ailleurs, comme dictée par une force supérieure, eut lieu alors que j'étais seule. Je dévalais un chemin fortement enneigé, dans lequel je m'enfonçais jusqu'au genou, lorsqu'une parole me vint à l'esprit et s'y incrusta comme un ordre ou une promesse : « Si je vis, c'est pour affirmer la grandeur... »

Je ne sais ce que c'est que la grandeur, mais je suis convaincue d'être surpassée à tout instant, même quand je n'en suis pas consciente, par quelque chose de bien plus grand que moi. Certains l'appellent Dieu. D'autres, la conscience humaine. Par moments, je me dis que c'est la terre, la nature, tout ce vivant à la fois fragile et fort, dont je fais partie.

Une chose est sûre, en tout cas : c'est que ces moments extraordinaires ont eu lieu à Megève, dans ce cadre admirable où j'étais cloîtrée, comme autant de pressentiments qu'il pouvait exister autre chose que la guerre. Certes, le conflit était là, bête et méchant, ses exactions se rapprochaient, nous avions fini par nous en apercevoir – mais notre cœur, à nous les jeunes, n'en voulait pas.

Nous ne savions qu'une chose : tant que durerait cette guerre cruelle, nous ne pourrions pas être nous-mêmes. Ni vraiment grandir. Comme si un sort nous avait été jeté, nous demeurerions figés dans notre adolescence.

Même inexprimée, l'angoisse était latente. C'en était fini du monde à tout prendre assez paisible de l'avant-guerre. Bien sûr, à la fin des années trente, il y avait eu de plus en plus de discussions politiques à propos des mouvements ouvriers, du socialisme, de Léon Blum, de la guerre sanglante en Espagne où avait été inauguré, pour la première fois dans l'histoire, le bombardement aérien des populations civiles, de la menace croissante que représentait la montée de Hitler et du parti nazi en Allemagne. Mais cela ne changeait pas un iota au déroulement de notre vie quotidienne, avec ses rites, ses fêtes, ses obligations, ses vacances, ses principes d'éducation plus ou moins stricts selon les milieux et les croyances parentales.

Ce qui fait que nous prenions les propos de nos aînés sur les incertitudes de l'avenir comme une sorte d'idiome particulier, ennuyeux et réducteur, déplaisamment sombre – à les entendre, rien de bon ne pouvait arriver –, qu'on se met à parler, l'âge venant... Et nous nous jurions qu'en grandissant nous ne pontifierions pas de la sorte – plutôt le silence ! Celui des bêtes, de la nature, des sentiments vrais...

Et voilà que, d'une heure sur l'autre, en septembre 1939, tout change : avec la mobilisation générale, les exercices d'alerte, la distribution de masques à gaz, le recensement des étrangers, la constitution de camps de regroupement, le début des restrictions, la réalité se met à justifier tous ces propos alarmistes que nous, enfants, nous prenions pour du vent !

Un an plus tard, en juin 1940, la situation s'assombrit encore : ce qui conservait les apparences de l'avant-guerre, qui continuait à tenir debout, soudain s'effondre et se fracasse comme un château de cartes sous la déferlante de l'armée allemande. C'est la retraite, la défaite, l'occupation... Ainsi c'était vrai : le cadre dans lequel nous étions nés et avions été élevés n'était pas immuable !

Reste à se demander – côté enfants – si ce séisme, ce bouleversement des habitudes et des situations survient pour le mal... ou pour le bien ? Question qu'il n'y a que les jeunes pour se poser – du moins dans le secret de leur cœur. Car il est impossible, il serait malséant, injurieux, même, de dire tout haut aux parents : « Chic, il n'y a plus de domestiques ! » Ou : « Papa, qui me terrifiait tant, est enfin parti ! » Ou encore : « C'est merveilleux, je vis à la campagne, avec des animaux, sans avoir à me laver les mains quatre fois par jour et sans qu'il me soit interdit de courir dans la rue !... » Car je peux dresser la liste de ce que les enfants d'avant-guerre, dans la bourgeoisie comme en d'autres milieux, n'avaient pas le droit de faire, et dont la défaite a délivré un bon nombre.

Pas tous... Il est bien évident que ceux qui se sont retrouvés sous les bombes, leur maison détruite, leur famille dispersée, certains des leurs emprisonnés ou tués, n'ont nullement goûté aux charmes de la mise en pièces de leur monde habituel.

Reste que nous, à Megève, faisions pour la plupart partie des privilégiés : de ceux à qui l'on fichait la paix pour cause de guerre... Et je n'ai jamais entendu aucun d'entre nous regretter sa vie d'avant. Du moins jusqu'à l'irruption des troupes italiennes puis allemandes dans notre vallée longtemps laissée à l'écart (nous n'étions pas un « front » militaire intéressant).

En fait, nous autres jeunes bénéficiions sans trop le savoir de deux privilèges extraordinaires : l'un était de vivre en bande, en cercle fermé, ce que souhaitent tous les adolescents et qu'ils ont du mal à mettre en pratique tant qu'ils ont leurs parents sur le dos ; l'autre, pour les petits citadins que nous étions en majorité, le fait de séjourner à la montagne. Dans l'encerclement magique de la neige, sa blancheur, sa pureté et ce total isolement qu'elle confère : jusqu'où porte le regard, passé les premiers abords, plus rien ne bouge que les oiseaux et les nuages...

Au réveil, mon premier mouvement était d'ouvrir les volets pour sortir sur le balcon en chemise de nuit. Vu le froid, je n'y restais pas longtemps, mais j'avais emmagasiné de l'énergie pour la journée. Des décennies plus tard, David Servan-Schreiber écrira un livre – *Guérir* – où il est question du bienfait que procure quotidiennement le fait d'assister à la naissance de l'aube ; je me l'étais déjà appris à Megève !

Toutefois, à l'époque, je n'ai eu nulle intuition d'un avenir qui allait me lier à sa famille et dont le germe se trouvait ici même, à Megève, dans la proximité de gens que je ne fréquentais pas, ou à peine, les Schreiber, dits Servan... Étrange est notre manque de prescience sur certains points pourtant capitaux, alors qu'on se montre parfois si pénétrants sur d'autres !

Quoiqu'il faille peut-être voir le signe prémonitoire d'une bonne nouvelle à venir dans cette joie sans cause qui m'habitait parfois. Alors que tout aurait dû me disposer au contraire à l'angoisse et même au désespoir – l'absence de mes parents, l'anxiété qui taraudait les adultes, l'ignorance de ce que serait ne fût-ce que le lendemain –, voici qu'à Megève j'étais dans l'attente du bonheur. Ce qui déjà en est un.

À propos, qui étaient ces « Servan » que ma tante semblait connaître sans vraiment les fréquenter ? Dans le petit monde qui nous entourait, il y avait en gros deux espèces de gens : ceux qui s'activaient plus ou moins ouvertement contre Vichy et l'occupant, et ceux qui semblaient ne rien faire qu'attendre sourdement la suite... Sans compter, bien sûr, ceux qui s'étaient mis au service des forces ennemies et l'affichaient sans vergogne ; ceux-là, nous faisions en sorte de n'avoir aucun contact – sauf administratifs, si nécessaire – avec eux.

Au-delà de notre route s'étendait un grand champ, lequel, au printemps, se révélait ou prétendait être un golf. Au bout de cet espace vide, juste avant que le terrain ne descende en pente raide vers le village, s'élevaient les deux grands chalets construits avant-guerre par des pionniers de la station : celui des Schreiber et celui de la baronne de Rothschild.

La famille Schreiber dont les hommes, trois frères, étaient d'origine juive – leur mère parlait encore le yiddish – n'arrêtèrent pas d'aller et venir, au début de l'occupation, jusqu'à leur départ définitif. Émile, le grand journaliste de *l'Illustration* qui allait devenir mon beau-père, avait prévu avant-guerre l'implacable danger que représentait Hitler. Dès la défaite, il avait jugé bon de faire partir sa femme et ses cinq enfants dans leur chalet mègevan, en zone libre. Lui-même y vécut un moment avec ses frères. Tout cela a été raconté dans ses livres de Mémoires – il avait aussi tenu son journal, qu'il dissimulait dans des bouteilles cachées dans la neige – et a été repris dans une histoire de leur famille : *La Saga Servan-Schreiber*.

Quand je lis ce livre, je suis frappée de stupeur : rien de l'activité fiévreuse qu'il décrit ne m'apparut à aucun moment, à l'époque. Pas même le fait qu'Émile besognait, coupant et ramassant du bois pour entretenir un peu de chaleur dans leur chalet. Je n'ai vu que ma future belle-mère, Denise, un sac de montagne sur le dos, parcourant le plateau pour aller de ferme en ferme quérir de quoi nourrir les siens. Chez elle, on était plus nombreux qu'aux *Jonquilles* où, après le départ de mon oncle, nous nous retrouvâmes à cinq : ma tante, mes deux cousins, leur grand-mère, la mère de François, et moi. Toutefois, ma tante Fernande aussi, à l'imitation de Denise, partait avec un sac sur le dos au « ravitaillement ».

C'est là un mot qu'on a oublié de nos jours ; on dit « aller faire les courses », le marché, mais on ne dit plus « se ravitailler ». (Mon grand-père Fernand Chapsal, pendant la guerre de 14-18, avait été le Directeur de la commission du Ravitaillement, ce qui, paraît-il, n'était pas rien : « Quand un sous-marin allemand coulait un bateau qui nous apportait des vivres d'Amérique du Sud, me rapportait ma tante, j'étais alors toute petite mais je me souviens encore de l'humeur exécrable de mon père ! Pas question d'ouvrir la bouche à table devant lui... »)

Avec la Seconde Guerre, le ravitaillement était redevenu une nécessité vitale, et, grâce à son charme, à son entregent, ma tante s'était mise au mieux avec un couple de fermiers tout proches – la femme, Emma, venait faire un peu de ménage chez nous – et elle obtenait ainsi de quoi maintenir en bonne santé trois adolescents en pleine croissance : beurre, œufs, fromage, parfois même une volaille...

Ah, ces poulets rôtis de la guerre baignant dans leur jus avec des pommes de terre sautées ! Régal, délice que surpassait peut-être le – rare – gâteau au chocolat confectionné avec le sucre, la farine, le cacao auxquels nous donnaient droit, tous les mois, les tickets de nos cartes d'alimentation... Cette carte comprenait aussi des points textiles, mais comme nous étions convenablement vêtus – en partie grâce à ma mère –, ma tante les troquait contre un surplus de denrées alimentaires... Elle conservait toutefois ses tickets de tabac, car elle fumait – un peu, pas trop.

Le beurre était un produit de luxe et celui fait par nos voisins et amis, les fermiers des Pettoreaux, était délicieux. Ils le coulaient dans un de ces moules en bois qui impriment des dessins en surface, lesquels me rappelaient ces gâteaux qui avaient enchanté mon enfance limousine, les « scènes » : de très grosses et très fines galettes rondes parfumées à l'anis, qui, grâce à des moules devenus précieuses reliques de brocanteurs, représentaient chacune une « scène » champêtre ou religieuse...

Alors que je me défends désormais de consommer du beurre, peu favorable à la baisse du cholestérol, je garde un souvenir alléché des mottes mègevanes si joliment historiées, tartinées sur un curieux pain brun dans lequel tout faisait farine, qu'on trempait dans une décoction d'orge ou de malt baptisée « café ».

Les Schreiber avaient pris pour nom Servan et je revois les trois filles arrivant à skis, telle Christiane Laroche dont elles reprenaient la trace – quand ça n'était pas le contraire – à travers le champ qui séparait leur chalet de *Florimontane*. Mes futures belles-sœurs ! Elles ne m'étaient guère proches à ce moment-là, et je ne pouvais me douter, en les voyant pousser leurs bâtons pour progresser en file dans la neige profonde, l'aînée en tête, qu'il y avait, chez elles, une concertation politique constante qui aboutirait à l'engagement dans la Résistance de leur père, de leur oncle, de leur frère aîné, Jean-Jacques, puis, plus tard, de leur mère et de l'aînée des filles, Brigitte.

En repensant à cette époque où quoique ayant tout sous les yeux, on pouvait ne rien deviner, je me dis que si ma tante s'était montrée plutôt attentiste, c'est que, n'étant pas juive, ayant eu un père mort en 39 grand-croix de la Légion d'honneur, vice-président du Sénat, plusieurs fois ministre – et bien que tous ces hauts titres et hauts faits ne pussent plus servir à rien désormais –, elle ne pouvait imaginer, elle, contrairement aux ressortissants du peuple du Livre, d'être une paria.

Mes cousins étaient-ils inscrits à l'école sous le nom de leur père, Hesse, ou sous celui de leur mère, Chapsal ? Je ne m'en souviens pas, mais j'ai encore ma carte d'identité qui me déclare habitante de Demi-Quartier – commune jumelée de tout temps à Megève et dont dépend le Mont d'Arbois. Un morceau de carton grisâtre plié en deux, usé sur les bords, que je ressors à temps réguliers, avec mes photos de l'époque, pour me convaincre que cette histoire qui me semble issue d'un roman fantastique a bel et bien existé.

Et a fait de moi ce que je suis.

Si on ne s'immerge pas dans les livres et la lecture à l'adolescence, quand lira-t-on avec démesure ? Plus tard, on est moins ouvert aux idées et aux rêves d'autrui, on s'est fait sa propre image du monde, et on y tient... Plus tard encore – c'est Mauriac en personne qui me l'a dit –, il n'y a plus place en soi pour le roman, pour l'imaginaire des autres, en fait pour l'avenir, car on ne s'en croit presque plus. Alors on se penche sur le passé – comme en rappel du sien – à travers les mémoires, les ouvrages historiques, les biographies... Mais, quand on a quinze ans, le monde s'étend devant nous comme un libre champ de manœuvres où l'on galope tous azimuts grâce aux livres, à tous les livres.

Reste qu'il ne s'agit pas du monde extérieur, mais de celui que l'on porte en soi dès son premier souffle, et qui n'a pas encore affleuré à la conscience.

Le mien m'engorgeait et il fallait qu'il se manifeste ; cela ne pouvait se faire que grâce aux mots venus des autres... « *J'avais vingt ans et j'avais besoin qu'on me parle... J'allais donc voir les écrivains.* » Ainsi ai-je présenté, bien plus tard, le recueil de mes entretiens avec les grands écrivains du temps.

Ma soif date de plus loin encore : à quinze ans, j'avais compris que je ne trouverais réponse à mes questions sur moi-même que dans les livres. J'eus la chance, pour mes premières incursions en littérature, de bénéficier de tout le loisir et de la tranquillité nécessaires. Au cours de mes mois d'été dans le Limousin, entre ma grand-mère, la Miss et ma sœur, rien ne venait déranger mes lectures : aucune sollicitation, aucun jeu, aucun sport. J'ai pu à foison – encore mieux s'il pleuvait, et il pleut beaucoup par chez nous – dévorer des journées entières, à commencer par les poètes, tous : de Ronsard à Toulet, de du Bellay à Vigny, Musset, Rodenbach, Sully Prudhomme, Mallarmé et bien sûr les « phares » : Baudelaire, Rimbaud, Verlaine. Sans oublier Racine. Les poètes étaient ma lecture favorite aux côtés des *Trois Mousquetaires*, de *Vingt après*, du *Vicomte de Bragelonne*, et de tout ce disparate que comportait la bibliothèque laissée chez nous par mon père, dont l'œuvre de Dumas père et fils dans de grands volumes reliés cuir, illustrés de ces gravures fouillées qui ajoutaient tant au charme de leur lecture.

Sur un paragraphe, Alexandre Dumas m'emportait dans des chevauchées plus intrépides que notre vent d'ouest, me donnant pour compagnons des hommes que je ne pouvais qu'aimer, vouloir en lieu et place de ces frères que je n'avais pas. Auxquels aussi je m'identifiais : quelle adolescente n'a pas souhaité se conduire « comme un garçon » ? Les poètes, eux, me rapprochaient de mon intime, c'est-à-dire de ma langue, la maternelle. De mon discours intérieur qui m'était alors inaccessible et qui me parvenait mot après mot dans la magnificence de leurs formulations d'orfèvres.

Dès mon plus jeune âge j'ai pris un plaisir spirituel – sensuel, aussi – à me répéter leurs vers tout bas, tout haut, à les apprendre par cœur. Je pouvais, je peux encore réciter d'un bout à l'autre « Le Bateau ivre » de Rimbaud, *Comme je descendais des fleuves impassibles...*, le poème-roi de Rimbaud dans lequel chaque adolescent sensible reconnaît d'emblée sa destinée d'humain : moi aussi, sur cette terre-mer, je me voulais bateau ivre...

De même, y retrouvant quelque chose de moi-même, je m'enchantais aux premières strophes du sulfureux poème d'Apollinaire : *Un soir de demi-brume à Londres / Un voyou qui ressemblait à / Mon amour vint à ma rencontre*... (Plus tard, il m'est arrivé de me dire : « Et si je n'avais aimé que des voyous ? »)

Ce qui ne m'empêchait pas de me mirer dans la limpidité des vers de Racine qui, telles les Tables de la Loi, semblent avoir été dictés par le Ciel : *Le jour n'est pas plus pur que le fond de mon cœur... Je ne l'ai point encore embrassé d'aujourd'hui...* Quant à Victor Hugo, ses œuvres s'empilaient sous mon oreiller. Le moindre de ses mots me faisait rire, tressaillir ou pleurer. De lui j'aimais tout, depuis ses acrobaties pré-surréalistes *(Les Djinns)*, ses délicatesses (*Elle est toute petite / une duègne la garde / Elle tient à la main une rose et regarde / Quoi ? que regarde-t-elle ? / Elle ne sait pas. L'eau...* –, jusqu'à ses tirades à la grandeur desquelles, même frisant la démagogie, nul ne peut résister : *Ce siècle avait deux ans... Non Sire, l'avenir n'est à personne, l'avenir est à Dieu...*)

Lu une seule fois, imprimé à jamais dans la mémoire à la façon d'une révélation. Ces mots-là, il me semble que je les attendais depuis que j'avais été conçue, désirée, nommée. Depuis que j'avais commencé à apprendre la langue qui, même balbutiée par un enfançon, les contient, les laisse entendre, si je puis dire, par transparence.

Les poètes sont des voyants, des médiums, des truchements, des transcripteurs – mais le premier créateur, c'est le langage lui-même, et j'adorais tout ce qui me venait par lui. Me donnant d'avance à entendre qui j'étais et qui j'allais être.

Nous le savons d'expérience, rien de valable ne se bâtit en art, en sciences, en politique, en économie, en amour – en tout – sans les mots. Je m'aperçus vite que je ne recevais de vraies commotions qu'à travers les pages d'un livre – ou les paroles qu'on m'adressait.

Pas toutes. Rares étaient les personnes de mon entourage dont les mots m'allaient droit à l'âme. Certaines, au contraire, m'offusquaient, me décevaient, me blessaient : j'étais plus que sensible, affreusement susceptible, ce que je considérais moi-même comme un défaut. Si j'étais touchée en mal, douloureusement, désagréablement, par une parole ou une autre, je me refermais sur moi et aurais volontiers rayé de ma vie – et même de la surface de la planète – l'auteur de mots pour moi inacceptables.

À l'inverse, si quelque chose m'était dit que je trouvais beau, émouvant, contre lequel je n'éprouvais pas le besoin de me défendre mais que j'absorbais, au contraire, comme un aliment, une manne dont j'avais besoin fût-ce sans le savoir, aussitôt je me livrais à cette personne. Qu'elle le sût ou non. Que j'en eusse ou pas conscience.

Bientôt je me mis à écrire, d'abord à la main, dans des cahiers d'écolier, en écho à toutes ces paroles qui me venaient des livres, afin de les reprendre à mon compte et aussi pour m'en délivrer. Je ressentais qu'il me faudrait, ligne après ligne, année après année, mettre mes propres mots à la suite des leurs, comme un enfant prolonge, en mieux ou en pire, et au déni de l'admiration qu'il peut leur porter, le trajet de ses parents.

Ce travail, je le faisais d'instinct. Personne autour de moi n'écrivait : ni ma mère, qui créait son monde au moyen de lignes, de formes, de couleurs et d'étoffes ; ni mon père, lequel, conseiller à la Cour des comptes, ne cessait pas de tenir la plume pour faire les comptes de la Nation – et les siens... Presque jusqu'au dernier jour de sa vie, il nota ainsi ses dépenses et ses rentrées journalières au centime près, immense et émouvant travail d'écriture qui ne pouvait en aucun cas être le mien !

À Megève, je n'ai connu personne qui se targuât d'être écrivain, se mêlât d'écrire, de publier, m'en parlât. Longtemps je me crus seule de mon espèce, ce qui ne facilitait pas mon intégration : qu'avais-je en plus ou en moins que les autres ? C'était d'autant plus difficile à assumer qu'à l'époque, on ne parlait presque pas de femmes écrivains. Sinon comme de drôlesses, de saltimbanques telles que George Sand ou Colette... Ou des moyenâgeuses qui, croyais-je, ne faisaient que chanter leur enfermement, pauvres rossignols en cage : Christine de Pisan, Louise Labé, la religieuse portugaise... Je me refusais à être de celles-là.

Et puis, un jour, à vingt ans, je rencontrai un écho : l'homme que j'allais aimer, mon double, qui non seulement lisait mais considérait l'écriture comme le meilleur outil pour agir sur le monde. Il s'y était déjà mis, plus ouvertement que moi, ne fût-ce qu'en écrivant des monceaux de lettres aux siens, plus quelques chroniques pour des revues d'aviation. Sa foi dans l'écriture, sa conviction de son efficacité essentielle, c'était ce qu'il allait prouver – magistralement – durant le reste de sa vie active.

Toutefois, quelque chose nous différenciait et cet écart, presque infime au début, n'allait cesser de s'amplifier : Jean-Jacques écrivait pour changer le monde alors que moi, c'était pour me changer moi-même. Devenir celle que j'étais dans mes profondeurs et dont je n'avais eu que des aperçus aussi fulgurants que brumeux...

Celui que j'ai présenté comme l'« homme de ma vie » eut le discernement – il en avait d'autres – de percevoir avant moi dans quelle direction je m'avançais : « Tu es un écrivain, me dit-il, tu dois écrire. Écris ! »

Noces avec la vie

Au début, j'écrivis pour lui faire plaisir. Pour répondre à ses lettres d'amour. Ensuite, pour travailler au plus près de lui dans ce qui était son œuvre : le journal qu'il avait créé... Puis j'y pris goût – ou, plus exactement, j'y pris forme.

Ce jour-là, je vais et viens devant la gare des autobus, à l'entrée de Megève, piétinant dans une neige salie, à demi fondue, et j'attends. Ma mère a annoncé son arrivée pour aujourd'hui par une carte interzones. Ces petits rectangles d'un carton mince, beigeasses, non illustrés, timbrés à l'effigie du Maréchal, passent par la censure et mettent du temps pour arriver. Ce qui fait que les nouvelles qu'ils comportent ne sont plus toujours fiables.

Reste que si Maman a pu, comme elle le prévoyait, prendre le train, franchir la ligne de démarcation avec un *Ausweis*, pour se retrouver à Sallanches et monter dans l'autocar, il est impératif que je sois là pour l'accueillir.

À l'idée de la voir soudain apparaître, après ces longs mois de séparation, j'éprouve des sentiments confus et même contradictoires. D'un côté, retrouver ma mère à laquelle me lie un amour sans borne – nous donnerions notre vie l'une pour l'autre – m'émeut et me bouleverse. D'ailleurs, quand Maman est là, je me sens protégée, défendue contre n'importe quel danger, en dépit de sa permanente angoisse qui me fait souffrir. Toutefois, je crains qu'un empêchement – il en est tant de possibles – l'ait arrêtée en chemin sans qu'elle puisse nous prévenir, et je retiens mon élan de peur d'être trop déçue.

Depuis le début de la guerre et la mort de ma grand-mère, j'ai pris le pli de refouler mes émotions : je crois ne pas avoir pleuré une seule fois de toutes ces années-là, car si j'avais commencé j'aurais pu ne jamais m'arrêter (plus tard, j'ai pleuré des jours entiers sur moi, sur le monde...).

Par ailleurs, même si c'est là un point secondaire, je redoutais son premier regard : elle allait me trouver changée, grandie – je prends encore des centimètres –, sûrement mal coiffée, trop de cheveux dans tous les sens, habillée à la mode de Megève qui n'est sûrement pas la sienne. Or, Maman a l'œil pour l'apparence et ne retient pas ses critiques.

Soudain, c'est le bruit lointain du gazogène qui monte sa dernière côte, franchit le plat, et le voilà, poussif, à peine en retard, très attendu, qui stoppe devant nous. Plusieurs personnes, des sportifs à grosses chaussures, sacs au dos, en descendent hâtivement et c'est derrière eux, en fait la dernière, immobile en haut des marches du bus, que la voici !

Je la reconnais déjà à la toque de fourrure qui rend sa belle tête plus imposante encore, puis à son ample manteau de velours de laine noir doublé de la seule fourrure dont on disposait à l'époque – du lapin –, et surtout à son air inquiet. Son regard, barré d'une ride verticale, s'est posé sur moi sans me reconnaître, et je dois m'approcher d'elle, lui retirer des mains sa valise et lui dire « Maman ! » pour que son visage s'éclaire.

– Ah, tu es là, ma chérie ! Ç'a été bien long...

Oui, c'était long. Tout était long, pendant la guerre, les hivers, l'absence, les voyages, et le trou noir, sans limites concevables, qu'était l'occupation...

Nous montons dans un traîneau, et, là, Maman sourit : cela devait lui rappeler les quelques séjours en montagne qu'elle avait fait avant-guerre, à Montana, pour aller voir sa sœur qui y guérissait ses poumons dans un sana chic – elle y parvint –, et plus tard à Arosa, puis à Crest-Voland avec ma petite sœur et Madeleine Vionnet, mais sans moi. Pour moi, c'est mon premier séjour à la neige, il avait fallu la guerre et ma maladie pour qu'on m'y envoie enfin... Avant, j'en avais eu si fort le désir que j'en rêvais la nuit, je me voyais descendant tout droit, tout schuss, sans aucune peur, les pentes neigeuses

– ce qui, une fois sur place, ne fut pas le cas, tant s'en faut : que de chutes !

Mais rien de cela ne fut dit. Maman, comme à son habitude, s'exclamait seulement : « Que c'est beau ! »

Fernande nous attendait sur les marches du chalet et les deux femmes tombèrent dans les bras l'une de l'autre. Maman adorait son ex-belle-sœur ; elle la connaissait depuis ses dix-huit ans et lui avait alors créé chez Vionnet sa robe de mariée ; le divorce d'avec mon père ne les sépara jamais.

C'est avec elle plus qu'avec moi que Maman parle ; ces femmes, toutes deux seules dans la tourmente, ont bien des choses à se dire concernant Paris, l'occupation, les nouvelles des uns et des autres, l'ouverture de la maison de couture avenue George-V, le départ de mon oncle pour une destination qu'on garde inconnue... Sans doute aussi parlent-elles de moi, de ma maladie en voie de guérison.

On déballe aussi... Maman nous a apporté quelques pièces de vêtements, pantalons à son idée, blouses de soie nouées sous le menton, toujours aussi allurées mais plus ou moins utiles à la neige et en pleine guerre – reste que ce souffle de futilité n'en est que plus apprécié ! Avait-elle aussi apporté de l'argent à ma tante pour subvenir à mes besoins, et pour quel montant ? Je ne le sus jamais.

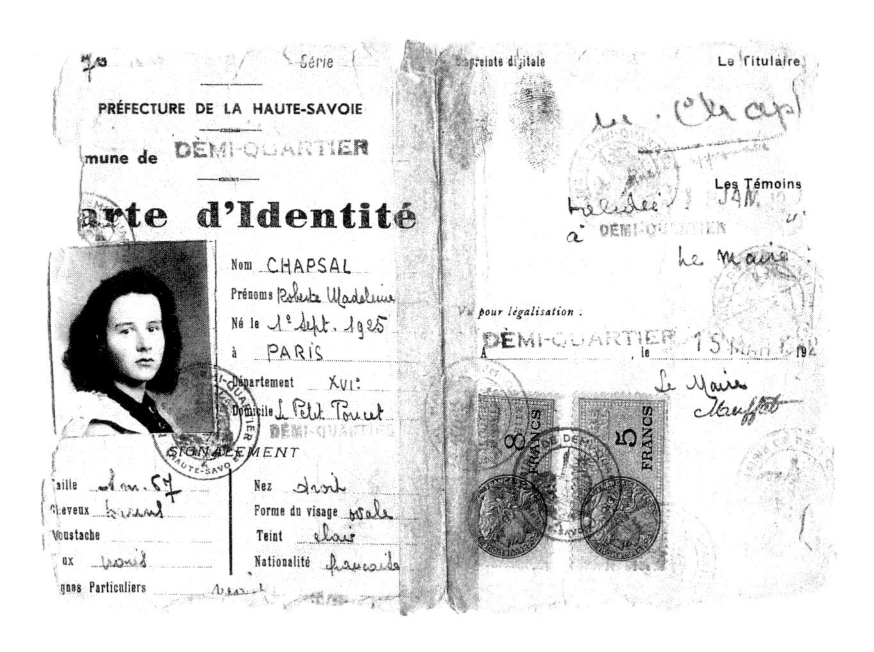

Série

PRÉFECTURE DE LA HAUTE-SAVOIE

…mune de DÈMI-QUARTIER

…rte d'Identité

Nom CHAPSAL

Prénoms Roberte Madeleine

Né le 1e Sept. 1925

à PARIS

Département XVIe

Domicile Le Petit Poucet

SIGNALEMENT

Taille 1m.57

Cheveux brun

Moustache

…ux noirs

…gnes Particuliers néant

Nez droit

Forme du visage ovale

Teint clair

Nationalité française

Empreinte digitale

Le Titulaire

M. Chapsal

Les Témoins

Validée à DEMI-QUARTIER

le maire

Vu pour légalisation :

À DÈMI-QUARTIER le 15 MAR 192…

Le Maire

Muffat

8 FRANCS

5 FRANCS

Ma carte d'identité de Demi-Quartier
signée par le maire M. Muffat.

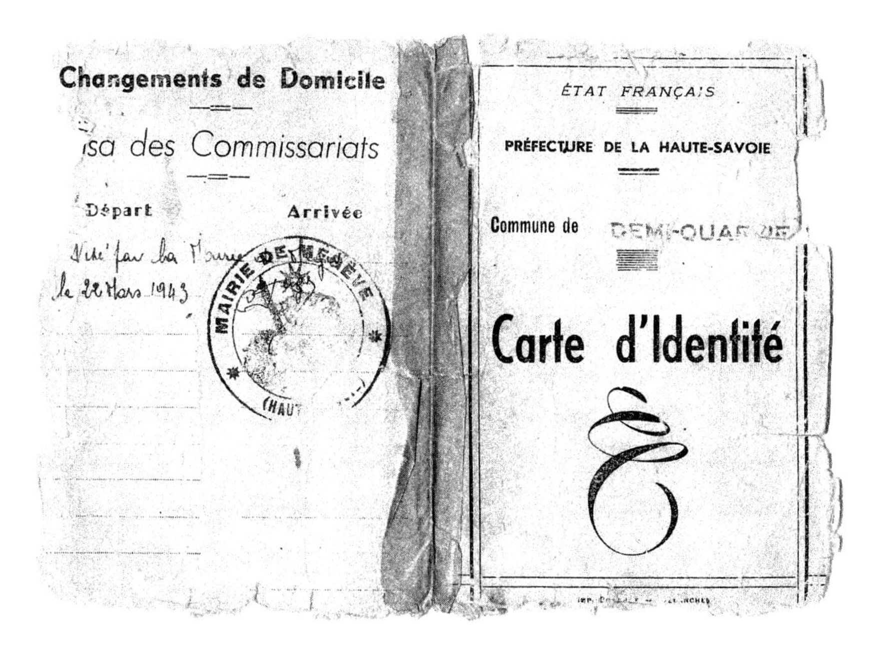

Changements de Domicile

…isa des Commissariats

Départ

Arrivée

Visé par la Mairie le 22 Mars 1943

MAIRIE DE MEGÈVE (HAUT…

ÉTAT FRANÇAIS

PRÉFECTURE DE LA HAUTE-SAVOIE

Commune de DEMI-QUAR…

Carte d'Identité

Christiane et moi, dix-huit ans.

Colette Mantout.

Lydie et Jean-Jacques.

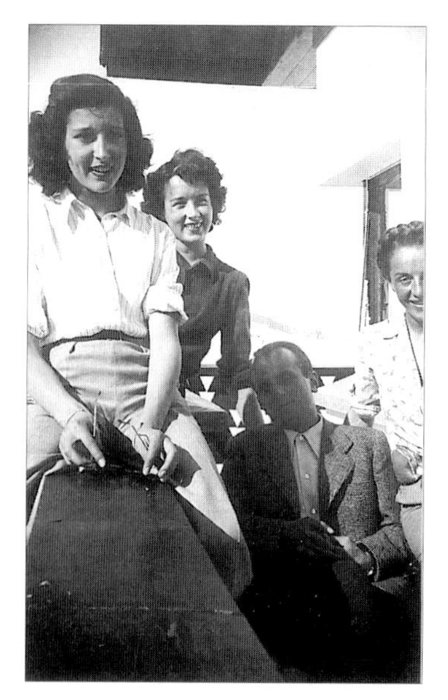

Christiane, moi, Jean
et Marcelle Bréaud.

Christiane et Francesco.

Moi et mon cousin Daniel, sur la piste du Mont d'Arbois.

Devant notre chalet *Les Jonquilles.*

Rochebrune tel qu'il était.

La place de l'Église et le Prieuré.

Christiane Laroche
sur le plateau, l'été.

Christiane et sa mère,
Hélène Wick.

Christiane et son frère Claude.

Moi et Christiane
au printemps.

Pierre T.

Ma tante Fernande avec ses enfants Daniel et Claude.

Bertrand S. et Pierre T.

Jean-Claude Bujard.

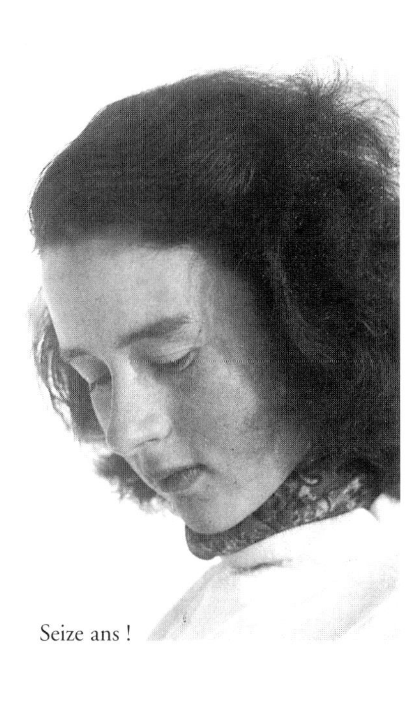

Seize ans !

Ma bande et nos bicyclettes.

Moi et Lydie.

Martine, moi et Bertrand S.

En route pour la descente
du Mont d'Arbois.

Dans ma veste bleue devant notre chalet.

Sur le balcon de ma chambre.

Avec mon fuseau *Allard*.

Autour de François Hesse, mon oncle.

Francesco Parodi.

Au mariage de Colette Mantout, à Neuilly,
où je retrouve Jean-Jacques.

Que je ne fusse pas mise au courant de ces problèmes matériels et financiers pourtant importants me maintenait dans un état de dépendance, mais aussi de liberté : j'entends par là qu'étant affranchie du monde des adultes, si pesant, si matérialiste (à mes yeux), j'étais en quelque sorte autorisée et même poussée à ne penser qu'à moi, à mes relations avec les jeunes de mon âge qui constituaient ma bande...

Bien plus tard, celui que j'allais rencontrer pour la première fois ici même, à Megève, dans le chalet *Les Jonquilles*, m'écrirait : « Tu es une individualiste », et il ajouterait : « J'aime ça. »

Ce serait bien généreux de sa part, car mon souci de moi-même ressemblait plutôt à de l'égocentrisme, sauf qu'à ma décharge on me l'avait inculqué : exclue des soucis des adultes, je ne pouvais voir plus loin que ma vie présente. Je ne me souviens pas d'avoir demandé à Maman comment se déroulait la guerre à Paris, à quoi s'occupait ma jeune sœur, par quel miracle la maison de couture qu'elle venait d'ouvrir parvenait à fonctionner. Comment faisaient les ouvrières pour arriver le matin, presque sans train, évidemment sans voitures, de leurs banlieues souvent bombardées – telle la gare de triage de Juvisy ?

Plus tard, je devins journaliste et me renseignai enfin sur le monde – grâce à Jean-Jacques. C'est lui qui m'ouvrit l'esprit et le cœur à autrui, et cela, dès que nous nous retrouvâmes, en 1945, à Paris. De cœur je n'ai jamais manqué, ni de sensibilité, me semble-t-il, mais longtemps je m'étais sentie impuissante ; je ne pouvais rien pour ma mère : ni la soutenir dans son effort démesuré – et comme à contretemps – pour s'occuper de beauté, d'élégance en pleine occupation ; ni lui donner des idées ou même un avis : la mode de Paris n'était plus la mienne… (Colette, l'écrivain, a écrit de belles pages sur les Parisiennes cherchant à rester élégantes, même à vélo, avec leurs coiffures à étages, leurs chapeaux de même, leurs semelles compensées, leurs jupes volantes, comme pour, en s'exhaussant, défier l'occupant.)

Mon père, le frère aîné de ma tante, vint également nous rendre visite. Pas plus que ma mère il ne s'y risqua souvent : une ou deux fois, peut-être. C'est également avec appréhension que je le vis descendre du car ou d'un taxi à gazogène. J'avais changé, je ne cessais pas de changer, je le ressentais et craignais que lui aussi ne voulût voir en moi que la petite fille qu'il avait quittée. Me parlant « bébé », en quelque sorte, n'acceptant pas que je fusse en train de devenir une femme.

Fernande était sa jeune sœur, ils avaient douze ans de différence, et leur mère étant décédée juste après la naissance de cette ravissante jeune fille, ils étaient très proches. Ensemble ils parlaient « famille ». Mon père, démobilisé, remarié, était revenu vivre avec sa nouvelle femme dans le petit hôtel particulier de mon grand-père, décédé, rue Cortambert, avec son frère, sa belle-sœur et leurs deux enfants. Une parentèle que je fréquentais peu, depuis le divorce de mes parents, et je ne me sentais donc guère concernée. Pas même par ce que pouvait bien faire mon père, démobilisé après la défaite de son régiment d'artillerie.

Je ne l'ai appris qu'une bonne cinquantaine d'années plus tard : il avait plus de quatre-vingt-dix ans quand je lui ai demandé de me raconter sa vie (c'est devenu un livre qui a rencontré un certain écho : *Cent Ans de ma vie)*. Cet homme charmant – je l'ai adoré dès l'instant, après son veuvage, où j'ai vraiment fait sa connaissance –, pudique, modeste (le grand homme de la famille ne pouvant être que feu son père), avait repris sa charge de conseiller à la Cour des comptes : « Il fallait bien que je nourrisse ma femme, je n'avais que mes honoraires pour vivre… »

Mon père avait toujours été intimidé par nous, ses filles, qu'il avait si peu vues au cours de leur enfance et à qui, il le savait, on disait du mal de lui sans qu'il cherchât à se justifier. Les trois femmes par qui j'avais été élevée, ma grand-mère surtout, lui reprochaient son amour… pour les femmes ! Je suis reconnaissante à la vie de m'avoir accordé de retrouver mon père, fût-ce sur le tard, ce qui m'a permis d'apprécier l'intérêt et la délicatesse avec lesquels il abordait le sexe féminin. D'où ses conquêtes jusqu'à un âge avancé, dont d'ailleurs la mienne – pas la moindre !

Reste que de son séjour à Megève je ne me rappelle presque rien. Fit-il alors la connaissance des Servan (Schreiber) ? Émile était-il encore là ou n'y avait-il plus que Denise et ses enfants ?

Encore un point d'obscurité, quelque chose, en fait, que je n'enregistrai pas. Sans doute parce que je n'obtenais pas les mots que j'avais besoin d'entendre... Mon père a dû me dire comme à son accoutumée que j'avais grandi, mais jamais il ne me faisait de compliments sur mon physique (une habitude familiale : on avait omis de dire à ma tante, lorsqu'elle était enfant, à quel point elle était une beauté, ce dont d'une certaine façon elle ne sut pas profiter). Puis il me demandait si mes études se poursuivaient de façon satisfaisante. Je répondais que oui ; alors il me donnait un peu d'argent en récompense (autre habitude qu'il tenait de son père pour qui le travail comptait en priorité), et c'était tout.

Privée d'un vrai dialogue avec ma mère comme avec mon père, je me repliais davantage encore sur mes lectures, mes amis, nos surprises-parties, mes timides et rares débuts à skis. (Le médecin me déconseillait l'exercice physique.)

Et l'un et l'autre de mes parents repartis vers on ne savait quoi de sombre, sans issue prévisible – il fallait être dans la Résistance active pour nourrir quelque espoir quant au futur –, je me précipitais encore plus fort dans ce qui me protégeait de l'accablement général : la danse !

Et c'est en dansant que je vais faire la connaissance de celui qui sera mon avenir.

En cas de liaison – aujourd'hui on appelle ça une « histoire » –, on ne se confiait pas les uns aux autres, mais on s'affichait. Moi avec Jean-Claude, Christiane avec un certain Jacques, Colette avec Francesco, Lydie avec un grand blond nommé Jean-Jacques. Mes jeunes cousins aussi avaient leurs « chéries ». Des changements s'opéraient, bien sûr, mais ils étaient rares, mal vus, et c'est en partie par crainte de l'opprobre qu'on demeurait fidèle.

Si un épisode m'est cependant resté, c'est qu'il donna lieu à un écrit (n'écrivez jamais !). Christiane, si jolie, si inquiète aussi – elle n'était jamais sûre de plaire – ébranla l'attitré de Lydie. Celle-ci, forte et déterminée, n'hésita pas : elle lui envoya un mot bien tourné qui commençait par quelques vers du célèbre poème de Musset :

Et le peu de bonheur qui vous vient en chemin
Nous n'avons plutôt ce roseau dans la main
Que le vent nous l'enlève...

En dessous la jeune fille avait écrit de sa ferme écriture : « Ne sois pas le vent, ma petite Christiane… »

J'eus droit à la lecture du billet. Christiane tint-elle compte de la demande ? Je crois que oui…

Cet incident ne me concernait pas, or il m'interpella. Sans que je comprisse en quoi ni pourquoi, quelque chose me choquait dans la démarche de Lydie : d'abord qu'elle eût l'air de considérer qu'un homme, quel qu'il fût, pouvait lui appartenir comme un parapluie, un meuble… Ensuite qu'il était tout à fait admissible de le réclamer à qui cherchait à vous l'enlever !

Pour ce qui me concernait – c'est ce qui me posait question –, je me sentais totalement incapable d'en faire autant. Par faiblesse, orgueil aussi. Plus tard, quand l'occasion s'en présenta à moi, face à une femme qui cherchait effectivement à m'enlever mon jeune mari, je ne me défendis pas, ne me fâchai pas, ne protestai pas. Est-ce à cause de cette réserve ? Il se trouve que, cet homme, je l'ai conservé…

Dès le plus jeune âge, chacun a déjà son caractère, ses stratégies. Certaines femmes s'entendent à revendiquer celui qu'elles appellent « *Mon* bonhomme », et à défendre leur bien, bec et ongles, contre d'éventuelles prédatrices – ce fameux « vent » dont parlait Lydie et qui n'est souvent qu'une saute passagère, sans conséquence...

D'autres agissent en glaneuses, acceptant ceux qui s'offrent pour, s'il y a obstacle, rouspétance, lâcher leur proie – redevenant ainsi disponibles pour d'autres rencontres, d'autres séparations plus ou moins douloureuses, et finissent par se retrouver seules... Pas tout à fait : elles gardent en elles, inentamé, leur désir de grand amour !

C'est en cela que nous nous ressemblions, les filles de ma bande et moi : il nous fallait le Grand Amour. Mais, là où nous divergions, c'était sur la façon de l'obtenir.

Plusieurs d'entre nous – ce n'étaient pas les plus jolies – se sont mariées vite, la guerre finie, elles ont eu des enfants et ont élevé leur famille sans demander plus. Colette épousa Francesco, son amour de Megève, mais, à notre grande surprise, ce fut pour divorcer rapidement : ces deux-là nous avaient pourtant semblé faits l'un pour l'autre. Je crois que cette fille si sympa et si bien plantée ne pouvait pas avoir d'enfant... Est-ce cela ? En tout cas elle en épousa un autre, puis mourut subitement.

Christiane aussi se maria tôt, avant moi : dès qu'elle apprit mes fiançailles, le jour même de la réception donnée en leur honneur, elle rencontra et épousa presque sur-le-champ le cousin germain de mon fiancé. Pour divorcer quelque temps plus tard, après enfants, dont ma filleule Fabienne, et en épouser un autre.

Christiane ne pouvait être satisfaite ; ayant trop manqué d'amour dans son enfance, elle rêvait plus encore qu'une autre de l'amour absolu. C'est la plus terrible et la plus destructrice des illusions – car c'en est une : l'amour humain n'est pas fait de cette pâte-là. Celles qui s'en tirent le mieux sont celles qui, pour assouvir leur exigence, se font religieuses : il est rare que l'Époux divin les déçoivent. Mais les autres, celles qui s'acharnent à poursuivre leur vie « dans le siècle », vont en connaître les avatars : fatigue, lassitude du désir, besoin de changement chez elles comme chez leurs partenaires...

Il est impossible pour une femme – nous allions en faire l'expérience les unes après les autres – d'être aimée comme elle le souhaite : absolument. D'être acceptée, voulue, désirée par le même homme envers et contre tout. Dans son corps – le désir se lasse –, dans son être – qui évolue –, et malgré le temps – la vieillesse change les données.

Bien que ce soit souvent dans le quatrième âge que se scellent les unions les plus définitives : sous l'égide non de la vie, mais de la mort qui, à sa façon, cimente, soude et conclut.

En attendant, on « bricole », comme disait le grand biologiste François Jacob, parlant de la vie à l'œuvre. On s'empare de bribes de la réalité pour construire une œuvre d'imagination qu'on déclare *urbi et orbi* être « sa » vie, et, n'envisageant pas d'alternative, on tente de s'en satisfaire.

C'est le jour du mariage de Colette Mantout, à Neuilly, que j'ai revu celui qui allait devenir mon mari. Jean-Jacques Servan-Schreiber. Sur la petite photo prise ce matin-là, je me vois sur les marches, à la sortie de l'église, dans la robe blanche et plissée que m'avait confectionnée exprès ma mère pour la cérémonie, et je me demande ce que ce beau jeune homme en uniforme bleu foncé de lieutenant d'aviation a bien pu alors me trouver ! J'ai l'air si maussade, mal dans ma peau – je l'étais, convaincue de ne rien attendre –, alors que j'attendais tout.

Je me sentais différente. Quand j'entendais certaines de mes compagnes me dire, parlant de leur flirt ou de leur mari : « Il m'adore, c'est mon petit homme... », je restais sans voix. Jamais il ne me serait venu à l'idée de désigner ainsi mon compagnon, quel qu'il fût. Plutôt que la possession légalisée, il me fallait la fusion.

De même qu'il ne me venait pas à l'idée de dire « mon flirt » – comme aujourd'hui on dit « mon jules » –, je n'ai jamais dit « mon mari »... J'appelais les gens par leur prénom, dussent-ils s'échapper de ne pas se sentir assez « tenus », ni « possédés ».

C'était par précaution : j'ai très tôt perçu qu'en voulant s'emparer de la liberté d'un autre, on restreint la sienne propre. Le maître devient esclave, nul besoin de lire Hegel pour s'en assurer.

Le fait est qu'à seize, dix-sept, dix-huit ans, l'âge de la philosophie, on sait tout sur soi et les autres. Pour l'oublier au fil du quotidien et ne le retrouver que plus tard, dans l'épreuve et par la souffrance.

Enfant, mon meilleur plaisir était de me blottir, le soir, sur les genoux de Maman, tandis qu'épuisée par sa longue journée de travail et de création, elle se laissait aller sur le fauteuil, le temps de reprendre souffle avant de passer à table.

Je m'emparais de ses doigts pour en écailler le vernis à ongles, à l'époque peu tenace, je tripotais son collier de perles, le nœud de sa blouse de soie, ses bracelets d'ébène, me grisant de son odeur, de son parfum, m'épanouissant dans sa chaleur.

Aux abords de la puberté, c'en fut fini : le corps de Maman me devint déplaisant, à la limite écœurant – ce qui n'empêchait pas l'amour –, et lorsque je l'embrassais je faisais en sorte que tout ce qui se trouvait plus bas que nos têtes – les seins, le ventre – demeure à distance.

Mon désir ne me porta plus que vers les hommes. Je me mis à aimer le contact des joues piquantes, celui des tissus rêches, des vestes de tweed, les voix de basse, les odeurs fortes : tout le contraire de ce que j'avais adoré jusque-là dans les bras des femmes de mon entourage. Toutefois, les hommes adultes m'évoquaient un peu des ogres et j'échappais vite aux bras de mon père ou de mes oncles alors que j'aspirais de plus en plus à être enlacée par des jeunes gens de mon âge.

Quand nous dansions, je fourrais mon nez dans la tendresse de leur cou, je recherchais le toucher de leurs joues sans barbe, passais ma main dans leur chevelure si fournie, presque animale. Rien ne touche autant une fille qu'une mèche enfantine sur le visage d'un garçon à la voix déjà mâle.

Au lieu de m'effrayer, comme celui des hommes faits, leurs corps m'attiraient. Dès que nous nous mîmes à nous embrasser, d'abord sur les lèvres, puis, comme on dit aujourd'hui, « avec la langue », je fus conquise. Embrasser un garçon à pleine bouche me paraissait le comble de l'audace et du délice, mais sans que je pusse imaginer plus loin !

Par imbécillité, manque d'information, soumission sans discussion à l'interdit ? La défense faite aux gestes affectait également notre imagination : on ne pouvait pas se représenter nues, les seins et le sexe à l'air, dans les bras de nos flirts et sous leurs regards ! Rien que d'y penser – sauf pour quelques délurées, exclues d'emblée par les autres –, c'était déjà la honte...

Je dis « nous », car je suis convaincue qu'il en allait de même pour mes compagnes : alors que nous désirions si fort être enlacées, pénétrées, possédées, violentées, nous ne nous permettions même pas de l'envisager en pensée. D'ailleurs, ces images d'étreintes, où les aurions-nous prises ?

À l'époque, il n'existait pas de ces publicités suggestives que les yeux des tout jeunes découvrent inévitablement sur tous les murs, à tous les coins de rue. Ni films pornos (pas de télévision), ni magazines licencieux à portée... À la rigueur, des images libertines dans des livres anciens, ou quelques chefs-d'œuvre de la peinture, comme *Les nymphes de Diane surprises par les Satyres*, par Rubens, où l'on voit des corps nus, gras, pétris par des mains gigantesques, auxquels il nous était bien difficile de nous identifier !

Pour nous aider à fantasmer, nous n'avions les uns et les autres que le cinéma. Mais quel exutoire ! On s'y rendait une fois par semaine, le samedi ou le dimanche. Qu'il vente ou qu'il neige, on dégringolait en bande le raidillon jusqu'au cœur de Megève où se situait la salle de projection. Chacune s'asseyait à côté de son chacun, épaule contre épaule, main dans la main. À la fin de la séance, les mains étaient si moites d'avoir été si longtemps entrecroisées qu'on avait du mal à les décoller. D'autant que, par mains interposées, protégés par le noir, sans qu'il y eût de censure parentale à redouter, on avait vécu quelque chose d'intense, de l'ordre du coït ! Personne ne trouvait rien à redire à ces attouchements : quel mal y avait-il à prendre la main de son voisin ou de sa voisine pour se rassurer ? Les adultes n'en faisaient-ils pas autant durant la projection de films d'horreur ?

Le programme d'avant-guerre, en noir et blanc, était de qualité. Pas mal de films français, d'autres américains. Tous comportaient une histoire d'amour qui se terminait plus ou moins tragiquement.

Si ces fins étaient peu encourageantes pour ce qui est de l'amour, il y avait aussi le moment pathétique, sublime, où les deux amants, après avoir lutté contre vents et marées, parvenaient enfin à se retrouver en tête à tête et à s'embrasser, d'abord chastement, sur les lèvres – quelle émotion ! –, puis éperdument, passionnément, à pleine bouche ! Quel frisson perceptible dans la salle obscure !

Ce premier baiser, qu'il fallait parfois attendre plusieurs quarts d'heure, nous ne venions au cinéma que pour lui. Dieu soit loué, il ne manquait jamais d'arriver !... Je ne sais qui programmait les films, mais il devait savoir que sa clientèle de jeunes n'en avait rien à faire, de *La Grande Illusion* ou d'*À l'Ouest rien de nouveau*... Ou même du *Corbeau* ou de *Goupi mains rouges*. Il lui fallait l'amour, encore l'amour, toujours l'amour !

Quelle chance de pouvoir anticiper son plaisir et de ne pas être déçu ! En serait-il de même dans la réalité de nos vies ? Pour les garçons, je ne sais pas, ils avaient peut-être d'autres objectifs que de rencontrer le grand amour : sport, carrière, gloire, etc. Mais pas nous, les filles, même si nous n'en parlions pas ; dans le secret de son cœur, chacune souhaitait avant tout un homme fou d'elle, si passionnément amoureux qu'il l'aimerait, c'était juré, jusqu'au bout de la vie... Tiens, comme au cinéma !

Hélas, l'épanouissement sensuel et sexuel auquel nous aspirions si fort et qui, dans notre cœur, ne faisait qu'un avec l'union des âmes, la plupart d'entre nous ne l'ont pas connu ! Même s'il y eut pour certaines des éclairs de bonheur – d'illusion ? –, ce qui était notre vœu le plus cher, la fusion amoureuse complète et définitive avec celui qui serait l'homme de notre vie, n'a pas eu lieu.

Comme le dit Simone de Beauvoir à la fin d'un de ses cruels romans-réalité, nous avons été « flouées » !

Il me fallut des années pour le reconnaître : l'interdiction qui nous était imposée par les adultes, parents, éducateurs, de faire l'amour à l'âge où la sexualité est à son apogée en même temps que le besoin d'aimer allait avoir des conséquences désastreuses pour le reste de nos vies.

Je devrais ne parler ici que de moi, car j'ai reçu peu de confidences sur ce sujet encore si intime qu'il fait honte. Mais quand je vois comment la vie de la plupart de mes connaissances, garçons comme filles, s'est déroulée, les mésententes, les divorces, les maladies subites, physiques ou mentales, le vieillissement parfois précoce, tout ce qui nous décime les uns après les autres, je ne peux m'empêcher de me dire qu'une grande partie de ce délabrement vient de là : nous ne nous sommes jamais sentis vraiment autorisés à faire l'amour. Et nous ne l'avons jamais fait bien.

N'oublions pas que, même après la guerre, la censure sévissait sur les livres décrétés érotiques, fût-ce des chefs-d'œuvre de la littérature comme ceux de Sade, Rétif, Louÿs, Bataille, et, par voie de conséquence, cette condamnation pesait sur notre vie sexuelle. Plus encore celle des filles que celle des garçons, ce qui fait que nous en venions à nous persuader que les hommes, privilégiés en ce domaine par rapport à nous, « savaient », et nous attendions avec impatience qu'ils nous initient.

Avec quel mélange d'appréhension et d'espoir je me suis « livrée », inerte, immobile comme une bûche, aux premiers garçons – à commencer par mon mari –, qui m'ont approchée... Évidemment, rien ou presque – en dehors de la dévirginisation – ne s'est alors produit...

Où auraient-ils appris, ces pauvres petits, ce qu'est le corps d'une femme et comment l'amener à l'acmé du plaisir ? Leurs débuts se faisaient en cachette, à la sauvette, et, pour ceux qui avaient le plus de chance, avec des amies de leur mère – toutefois, dans une grande culpabilité.

Et quand l'ex-puceau se retrouvait avec la jeune fille généralement vierge avec laquelle il allait se marier ou qu'il venait d'épouser, on lui avait seriné qu'il devait la *respecter* ! Aussi se contentait-il de la pénétrer au plus vite, le plus brièvement possible, sans chercher à explorer ce corps féminin qui pourtant n'attendait que ça, et à le révéler à lui-même. Pratique indispensable à la bonne entente, à la durée et au bonheur d'un couple.

Oui, aucun des hommes qui me désiraient et auxquels je me suis « donnée » – tel était le vocabulaire à l'époque – n'entreprit de m'aider à découvrir les capacités de jouissance que recelait mon être physique et spirituel. (L'un n'allant pas sans l'autre.)

Encore traumatisés par l'ordre moral imposé par Vichy, nous avons longtemps continué à vivre – jusqu'à l'abolition de la censure, puis mai 68 – dans une peur larvée de tout ce qui était sexuel. On nous faisait accroire que c'était mal, que c'était sale, que c'était immoral, dangereux – à commencer par la masturbation – et conduisait inévitablement à notre perte. C'était au point que même dans la légalité du mariage, on ne s'abandonnait pas vraiment. En réalité, dans ma génération, tout en nous livrant aux gestes du coït, nous ne couchions pas vraiment ensemble…

D'où un déchaînement des passions névrotiques : jalousie, rancœur, ressentiment, désir de vengeance, de meurtre, le tout vécu dans un silence qu'on voulait croire pudique et qu'a posteriori je trouve à la fois ridicule et terrifiant.

Aujourd'hui, la libération sexuelle a eu lieu et, à entendre le discours général, il n'y aurait plus de tabous. On y va comme on veut, avec qui l'on veut, quand on veut et par où l'on veut. Avec ce qu'on appelle son « partenaire » (je préférais les termes d'amant ou d'amante). En ayant recours à des manuels, à des enseignements spécialisés, on apprend la « technique », mot-clé qui régit désormais l'ensemble de nos vies de consommateurs. Ainsi s'imagine-t-on maîtriser la sexualité et tout ce qui s'ensuit... Il est vrai que plus personne ne recule à prononcer ou écrire des termes tels qu'anus, clitoris, vagin, pénis, bite, chatte, érection, éjaculation, jouir, orgasme, etc.

Un vocabulaire dont j'ignorais le premier mot au temps de mon adolescence. Toutefois, la « chose » était inscrite dans mon corps depuis l'état fœtal. On a beau feindre que les enfants ignorent tout du désir sexuel – en dépit des affirmations de Freud –, les filles les plus vierges savent très bien, au fond de leurs entrailles, ce qu'elles « attendent ».

Aussi quelle déception quand, les conditions étant enfin propices, on se sent bâclée, ignorée, rejetée, quand ça n'est pas maltraitée. Dès lors on en veut à l'autre – qui la plupart du temps n'en peut mais : lui aussi se sent frustré sans savoir comment l'exprimer ni à qui le reprocher...

Alors – réflexe humain, nous l'avons tous – on va chercher ailleurs. Pour les gens de ma bande et de celle qui a suivi, tous ou presque nous avons divorcé. Quant aux prétendus « époux fidèles », la plupart ont mené plus ou moins clandestinement des aventures parallèles...

Ce drame du non-su, du non-dit, n'était-il pas inscrit dès le départ sur la surface immaculée de la neige ! Si belle, si muette, si meurtrière...

L'été, à Megève, la neige et la glace fondent d'un jour sur l'autre pour se retirer au loin – comme la mer sur la plage au temps des grandes marées – et ne persister que sur les sommets. Du plateau du Mont d'Arbois on la voit briller éternellement sur la chaîne du Mont-Blanc, lequel, selon qu'il s'ennuage ou non, permet aux initiés de prévoir le temps.

Changer de saison en montagne, comme dans les pays nordiques, fait changer de vie et de mœurs. Autre façon de se vêtir, de circuler, de se fréquenter, de se divertir, et, s'il en est besoin, de se cacher. En fait, avec le beau temps, tout devient plus aisé.

Alors que, cerné, enseveli par la neige, rien que sortir ou pénétrer dans la maison est une grosse affaire : avant de mettre le nez dehors, il faut se couvrir de pied en cap avec gants, bonnet, lourds souliers ou bottillons dits d'après-ski. Quitte à se désencaquer dès qu'on entre où que ce soit. En se brossant, s'essuyant, car la neige s'insinue partout, dans les plis des vêtements, les cheveux, les sourcils... On apprend à s'ébrouer, comme les chiens. Tous gestes qui, même devenus machinaux, prennent du temps. On se sent alourdi jusqu'à la maladresse – d'où l'enivrant bonheur de pouvoir se livrer à la glisse qui fait s'envoler la pesanteur...

Mais, à l'époque, je n'ai l'autorisation de monter sur des planches qu'exceptionnellement, et comme je suis peu musclée, trop laxe, mes essais, que j'aurais voulus triomphants, tournent aux cascades à la Chaplin.

Combien de fois suis-je tombée, emmêlant inextricablement mes bâtons et mes skis, me retenant à un arbre s'il s'en trouvait sur mon chemin, ou à un autre skieur qui avait eu l'imprudence de m'attendre sur la piste et s'affalait avec moi...

Je me souviens du fou rire déclenché chez ma tante par l'une de mes bûches sur la facile piste dite des *Mandarines* que recouvrait ce jour-là une abondante chute de neige ! Des années plus tard, elle riait encore de m'avoir vue me débattre sur le ventre sans que j'arrive à me dépêtrer de mes skis, sa gaieté me vexant tout autant que la première fois.

Oui, j'étais une sorte de zombie à skis, sport que pourtant j'adorais au point d'attendre avec fièvre d'y retourner. Convaincue, ce qui finit par se réaliser, que je ne pouvais qu'accomplir des progrès et que je parviendrais moi aussi à exécuter avec grâce et facilité les mouvements que j'admirais tant chez les autres : ces « christianas-arrêts » qu'exécutaient à la perfection – me semblait-il ! – et avec une si élégante aisance la plupart de mes camarades. Tandis que je me débattais furieusement au sol, à tenter de me ramasser, moi et mon matériel, eux s'immobilisaient debout, à m'attendre, joliment déhanchés, appuyés sur leurs bâtons, sans un brin de neige sur leurs tenues : des demi-dieux !...

Le soir, dans ma baignoire, je n'étais qu'une constellation de bleus – mais rien ne m'aurait arrêtée ; au contraire, je me couchais, excitée à l'idée de ma prochaine descente, me jurant que, cette fois, j'allais réussir à dominer ce drôle de sport qui demandait plus d'adresse que de muscle ! Avant de repartir, je me répétais les conseils que j'avais pu glaner – les inscrivant sur des bouts de papier pour mieux les mémoriser – et je repensais aux quelques gestes que l'expérience avait fini par me faire découvrir. Se pencher vers l'aval, non : vers l'amont ! Mettre le poids du corps en avant, non : en arrière ! Utiliser les carres, non : skier à plat... J'avais l'amour de l'effort physique, mais je m'escrimais à le raisonner au lieu d'agir par réflexe et instinct, et il me le rendait fort mal !

Dès le retour du printemps, la vie se révélait plus facile, au moins pour moi. Pour ce qui est de rouler à bicyclette, un sport – ou un art – que j'avais pratiqué depuis ma plus petite enfance, j'y manifestais un équilibre assez remarquable. Autant à skis je me sentais ligotée par un appareillage proche de la prothèse, autant ma bicyclette et moi ne faisions qu'un. Je n'hésitais pas à frimer en posant mes pieds sur le guidon, ou même le porte-bagages, conduisant d'une main, grimpant les côtes en danseuse... Chaussures plates et jupe au vent, je me sentais en confiance et plaisante à voir – ce qui devait être le cas.

Puis j'eus la chance de découvrir une nouveauté : le golf.

Dès avant la guerre, la baronne de Rothschild, la « baronne Maurice », avait eu pour Megève un coup de foudre, lequel se révéla être un coup de génie. Ayant débarqué dans le gros bourg agricole alors que la station n'existait pas en tant que telle, et, mesurant son exceptionnelle situation d'un coup d'œil, cette femme avisée autant que nantie décida sur-le-champ d'y construire son propre chalet, en plus d'un hôtel – l'hôtel du Mont d'Arbois –, et de fonder une société comportant un golf, puis, plus tard, un téléphérique.

Un soir, à un dîner, elle parle à son voisin de table, Émile Schreiber, de sa découverte : un lieu alpin merveilleux où l'on peut profiter de l'ensoleillement et de la neige en pleines liberté et solitude... Mon futur beau-père, qui avait les vertus d'écoute et d'imagination des grands journalistes, décide de s'y rendre à son tour, achète ce qu'il peut de terrain – un hectare – et y fait construire le chalet qui servit de refuge providentiel à sa famille pendant la guerre : *Nanouk*.

Jusque-là, *Nanouk* avait été, hiver comme été, le lieu du bonheur. Des années durant, comme Émile le raconte dans ses mémoires, c'est à peau de phoque, les skis aux pieds (le tout petit Jean-Jacques dans un sac à dos), qu'avec les siens il escalade les pentes pour pique-niquer, adossé à un chalet d'alpage, et redescendre ou plutôt redégringoler en éparse et joyeuse farandole.

Pendant ce temps, l'histoire d'amour – car c'en est une – entre les Rothschild et Megève se poursuit de bonds en rebonds, et je la connais mal. Ce que je sais, c'est qu'Edmond de Rothschild, le fils de la baronne, a lui aussi résidé à Megève où il faisait un peu partie de notre bande, sans que nous nous doutions à quel point il était et allait être impliqué, après la guerre, dans le développement de la station. Depuis son récent décès, la route du Mont d'Arbois, en hommage à ses investissements financiers et sentimentaux, a été baptisée « Edmond de Rothschild ».

Voulu par la baronne, le premier hôtel du Mont d'Arbois, où résidèrent Émile et sa femme à leur premier séjour, était modeste. Il a fait place au gros et beau bâtiment, fermé pendant la guerre, dont M. Parodi était le directeur. Est-ce sur ses ordres que le golf était en partie fauché et ses *greens* vaguement entretenus ? En tout cas, c'est sur son parcours que je fis, l'été, mon premier apprentissage du maniement des clubs, grâce à ceux que possédait ma tante – laquelle avait été une joueuse assidue avant-guerre – et dont elle me laissait disposer. À condition que je ne les perde pas. Mais ce n'était pas les clubs après lesquels je courais sans cesse : c'étaient les balles !

On ne s'en procurait plus de neuves – ou alors horriblement cher –, ce qui fait que la plupart de celles mises à notre disposition étaient aussi usées que précieuses. Lorsqu'elles se fourvoyaient dans l'herbe haute du *rush* – et le terrain entier relevait du *rush* ! –, nous nous escrimions des heures entières, pas à pas, à les rechercher. Si nous ne retrouvions pas celle que nous venions d'envoyer, il nous arrivait fréquemment de tomber sur d'autres, égarées les jours précédents.

Je ne puis comparer cette recherche à plusieurs, ses aléas et ses plaisirs, qu'à la cueillette des cèpes dans les bois du Limousin. Même exclamation quand on tombe sur l'objet convoité, même précipitation à le ramasser comme s'il risquait de s'envoler...

Je crois avoir passé plus de temps à rechercher des balles perdues – que représentaient-elles, symboliquement ? – qu'à m'être exercée au *drive* ou au *putting*... Toutefois, j'en appris assez pour y prendre plaisir et poursuivre mon entraînement bien après la guerre, sur les plus beaux terrains de France – la plupart situés dans des endroits magnifiques, avec, comme à Étretat, vue sur la mer – et sur quelques autres aux États-Unis, dont l'un à New Orleans. Avec Jean-Jacques. Ni l'un ni l'autre n'avons jamais acquis de handicap honorable, mais nous aimions tous deux, avec la même ardeur, l'exercice dans la nature, l'effort physique et le large...

Sans compter que le golf, sauf stupide étourderie, est sans danger pour soi comme pour autrui. Un moment de paix, d'oubli du reste – se concentrer sur la balle exigeant une attention totale. Comme nous en avions besoin !

C'est surtout Jean-Claude qui m'accompagnait dans ces parties qu'on pourrait dire libres et *ad libitum* : pas de club-house, pas de caddies, et bien sûr pas à payer ! On y allait comme on voulait, quand on voulait, sur n'importe quel trou... Se joignaient à nous l'aîné de mes cousins,

Claude Hesse, et sa jolie cousine germaine, Nicole Sorbac, dont la mère, juive comme son frère François, avait elle aussi jugé bon de quitter Paris pour rejoindre Megève.

Je ne revois ni Colette ni Christiane sur le parcours ; se débrouillant infiniment mieux que moi à skis, mes deux amies n'éprouvaient sans doute pas le besoin de cette compensation appliquée et tatillonne du golf qui, en l'occurrence, tenait plutôt du jeu de patience et de l'aventure dans la savane…

Je me souviens aussi des séances de dépeçage des vieilles balles de golf. Avez-vous essayé ? La dure écorce fendue par l'usure, il s'agit de farfouiller à l'intérieur pour en sortir des kilomètres de fil élastique protégeant je ne sais quelle poche contenant un liquide visqueux. Une autopsie, en quelque sorte, une distraction pour jeunes laissés sans surveillance, à qui tout est permis – sauf ce qu'ils auraient désiré le plus au monde mais qui leur était strictement interdit : s'essayer ensemble aux gestes de l'amour.

Devant l'afflux de réfugiés dont il s'avérait qu'une grande majorité étaient des juifs fuyant la zone occupée déjà pour échapper au port de l'étoile jaune et – pour ceux qui l'avaient prévu depuis l'accession au pouvoir de Hitler – à la continuelle aggravation des persécutions, il y eut des protestations. Des dénonciations, même. De la part de Français, vichyssois, collaborateurs, antisémites en tout genre, mais aussi des Allemands qui, prévenus, finirent par fermer la station pour l'interdire aux prétendus « touristes ».

On accusa Megève d'être un lieu de bombance et de rigolade où des juifs fortunés menaient une vie dorée. Du fait de la proximité des fermes, on s'y ravitaillait certes mieux que dans les villes, mais c'était le cas dans toutes les zones rurales. Par ailleurs, il n'y avait pas que des familles nanties à s'être réfugiées à Megève ; des personnes de tout niveau social, isolées, travaillant au noir pour se nourrir, étaient montées jusqu'ici pour tenter d'échapper à un sort qu'on devinait funeste.

De par l'afflux de tous ces nouveaux venus, hommes et femmes, menacés et conscients que l'étau se resserrait sur eux comme sur tous ceux qui ne voulaient pas se soumettre à l'occupant, se constitua bientôt un fort mouvement de résistance. Les uns prirent le maquis – le plateau des Glières n'était pas loin –, ou s'employèrent à lutter courageusement à leur poste (gendarmerie, mairie de Megève) ; d'autres partirent pour l'Afrique du Nord et Londres.

L'un d'eux, Jean Rosenthal, grandement médaillé après la guerre, dépêché en mission par de Gaulle, fut parachuté plusieurs fois et devint chef de la Résistance pour la Haute-Savoie. Sa famille, qu'il venait voir clandestinement, résidait à Megève. Ma tante le connaissait bien, il la contactait quand il était là et elle tentait, par lui, d'avoir des nouvelles de son mari. Comme François avait changé de nom depuis qu'il était à la radio de Londres, pour prendre le pseudonyme de Desgenette, je ne sais si elle y parvint. Toujours le non-dit et ses prudences, renforcé chez ma tante par le fait qu'enfant, pendant la guerre de 14-18, elle s'était heurtée au silence continuel de son père, alors directeur de la commission du Ravitaillement et informé par là même de tout ce qui était « secret défense ».

Pour ce qui est de Megève sous la botte allemande, je ne saurais juger ni faire des comparaisons, je ne suis pas suffisamment informée, mais je suis convaincue que la nécessité de combattre un ennemi vainqueur suscite et stimule l'énergie. Laquelle se dépense de toutes les manières selon les situations et les caractères : dans la jouissance et les excès comme dans le sacrifice. Parfois, dans le tout à la fois. Il est alors facile à la propagande ennemie de ne faire ressortir qu'un seul aspect du comportement des victimes prises dans une nasse. Car, juifs ou pas, nous autres Français l'étions tous. Même les traîtres étaient des victimes de la défaite, avec leurs vies fourvoyées, démolies et perdues.

Pour nous, les jeunes, il y avait la danse !

Avec la musique, c'est le langage des opprimés.

Récemment, la chance m'a été donnée d'assister à la naissance d'une jeune pouliche. Quelques heures après s'être dressée sur ses guiboles, elle esquissait un joyeux petit pas de danse autour de sa mère, laquelle, tout aussi ébahie que nous, pivotait sur elle-même pour la voir faire.

Danser est le premier et fol désir des juste-nés ! Excités qu'ils sont par la joie toute neuve d'être enfin au monde, cordon ombilical tranché, et aussi poussés par la peur. Courir, trotter, galoper, sauter, ces exercices mille fois répétés dans l'enfance préparent à ce qui va se révéler nécessaire un jour ou l'autre à tout être vivant : la fuite...

Pour les mêmes motifs – allégresse et crainte – la plupart d'entre nous se sont mis à danser, comme le petit cheval, dès leurs deux ou trois ans. Quelques-uns n'ont plus cessé, les uns pour devenir danseurs étoiles, d'autres coureurs, gymnastes, skieurs, patineurs ou footballeurs.

Comment expliquer que certains d'entre nous soient tellement plus doués que d'autres, côté corps ? Tout de suite champions ? Des psychologues se penchent sur la façon dont le nouveau-né a été tenu dans les bras de ses parents, du sentiment de sécurité ou d'insécurité qu'il en a retiré et qui influerait sur son développement, sa vie entière...

Est-ce pour n'avoir jamais été bercés ni même pris dans des bras ? Certains de mes camarades étaient aussi raides que des piquets, traînaient les pieds comme des boulets. À l'inverse, il y avait les elfes, les lianes, ceux dans les bras desquels une fille se sent tout de suite à son aise.

À trois ans, j'avais moi aussi dansé sur la table basse du salon, esquissant des portés de bras qui me valaient des applaudissements, mais, faute de partenaire, je n'avais plus recommencé depuis lors. C'est l'un de nos meilleurs danseurs qui me relança. « Viens, me dit-il en me tendant la main alors que je demeurais immobile à voir se démener les autres, ce n'est pas difficile, je vais t'apprendre, suis-moi... » Quelques minutes plus tard, je me déplaçais en rythme à sa suite.

Car il est un professeur plus irrésistible encore que votre partenaire : c'est la musique. Elle s'empare de vous si on ne la refuse pas, ne se bloque pas, et c'est elle qui ordonne aux mouvements du corps. Il n'y a qu'à se laisser aller à ce que la musique déclenche dans la tête – laquelle se met à dodeliner, à hocher et scander le rythme – puis dans les pieds, les mains, la taille, les reins, le corps entier...

C'est à la musique plus qu'à mon partenaire que je m'abandonnais. Celle que nous écoutions à Megève, quoique rythmée, était sans violence. À défaut de renouvellement de notre stock de disques, nous finissions par danser sur tout, même sur les chansons de Trenet ! Aux premières mesures, nous étions dans une transe qui pouvait durer des heures. Quand un disque s'arrêtait, on demeurait dans les bras de son partenaire, attendant qu'un disc-jockey improvisé allât le changer ou remette le même.

Lente, interminable caresse que ce balancement de nos corps accolés, mais qui n'allait jamais jusqu'à son terme. D'où notre perpétuel désir de faire durer ce corps à corps – ou de le reprendre dès le lendemain.

C'était là notre forme de dialogue : nous nous parlions peu, contrairement aux adolescents d'aujourd'hui qui tchatchent indéfiniment, par ou sans portable.

Nous n'avions que peu de choses à nous dire, aucun ne parlant de son passé qui se ramenait à sa petite enfance (c'eût paru « débile »), ni de sa famille (le plus souvent absente), encore moins de son avenir (puisqu'on ne s'en connaissait pas). Histoire quand même de causer, il arrivait qu'on échangeât des critiques, comme il est d'usage en tout lieu et en tout temps, sur nos professeurs, ou bien on commentait longuement les amourettes de nos camarades, mais sur un mode pudique et discret.

Les gestes que l'on se permettait l'un envers l'autre sous couvert de la danse en disaient souvent plus long. Tel garçon approchait sa joue de la vôtre, comme au hasard, puis, si on ne protestait pas, s'y appuyait fortement. Sa main autour de votre taille l'enserrait plus ou moins, pour monter, redescendre – mais jamais jusqu'aux fesses (grossièreté !). Ce gestuel très codé avait un sens et signifiait : « J'aime danser avec toi », ou « Tu me plais... », ou « Je voudrais t'embrasser... », ou « J'en ai marre, j'ai envie que ce disque s'arrête... »

Quand le garçon devenait pressant, la plupart du temps la fille, tout en se laissant faire, feignait de ne rien remarquer, par pudeur ou coquetterie, surtout si le danseur entreprenant n'était pas son « flirt » habituel. Est-ce dans ces embrassements interminables autant que délicats que j'ai pris le goût de me trouver dans les bras des hommes ? J'ai plaisir à humer, savourer un homme, même si cela ne doit pas aller plus loin, à renifler son odeur entre son cou et le col de sa chemise, à apprécier la pression de ses bras autour de moi, le toucher de sa peau... Dussé-je ne pas en avoir plus, du moins en ai-je tâté grâce au prétexte de la danse, et c'est bon !

Avec la libération sexuelle, laquelle méprise les préliminaires, les danses se sont faites déchaînées – des « danses de Sioux » au cours desquelles on dépense une énergie formidable à sauter, se disloquer, s'agiter en tous sens, soutenu par la boisson et/ou la drogue, mais sans chercher à se toucher... À peine du regard... On danse avec ce qui n'est plus vraiment la musique – avec le rythme et lui seul !

Excitation physique, sportive, assouvissante – mais c'en est fini du délicat dialogue amoureux, des échanges gestuels parfois imperceptibles qu'on prenait plaisir à voir lentement venir pour les refuser ou y répondre.

Il arrivait aussi qu'on se retrouvât corps à corps avec des garçons dont, au fond, on ne voulait pas, dont le contact déplaisait, parfois répugnait. On se livrait à eux par coquetterie, pour agacer celui qu'on désirait vraiment et qui semblait vous ignorer, ne vous sollicitait pas. Car, à l'époque, aucune fille n'aurait la première fait signe à un garçon ; elle se contentait d'être là, debout, dans une pose invitante, certes, mais muette...

Oui, la danse était pour nous un langage codé comme en d'autres sociétés il y a eu celui de l'éventail, des attouchements furtifs, des baisers volés, d'une cheville, d'un nez, d'une nuque, d'un bout de sein entrevu, toutes ces « surprises » de l'amour dont on a perdu le goût – et l'art.

S'ensuivit pour moi un paradoxe : le garçon que je vais aimer pour la vie et que je m'apprête sans le savoir à rencontrer ici même, à Megève, au cours d'une surprise-partie à laquelle participaient aussi les parents, n'aimait pas danser ! En fait, dansait mal.

Il pratiquait ce qui justement nous était dénié – la parole – et c'est pour cette étrangeté qu'il me conquit dès l'abord. Alors qu'il me tenait par la taille, me lançant mécaniquement de droite et de gauche, me maintenant ainsi à distance, il me donnait l'occasion de le dévisager. Quel regard ! Quel ton de voix ! Accompagnés de quelques mots qui se voulaient percutants – et le furent !

Dès lors, les autres autour de moi ne furent plus que ce qu'ils étaient : des danseurs !

Conçue et rédigée par des « collaborateurs », de surcroît censurée par les autorités allemandes, la presse de l'époque n'était pas lisible ; en fait, elle paraissait atroce à ceux qui n'étaient pas vichyssois. *La Gerbe, Je suis partout, Candide, Gringoire, Le petit Parisien,* d'autres encore, tout cela mentait. Nous n'achetions pas ce qui n'était pour nous que torchons, vile propagande.

Dans les grandes villes arrivaient à circuler sous le manteau des publications, gazettes et livres écrits et diffusés par les résistants. Rien n'en venait, du moins à ma connaissance, jusqu'à notre refuge de Megève. Ce qui fait que nous, les femmes, étions assoiffées de lecture et nous arrachions les volumes non censurés qu'on pouvait trouver dans les bibliothèques ou acheter en librairie.

Leurs titres sonnent encore à mes oreilles comme les trompettes d'une victoire sur le silence : *Via Mala, Sarn, Le Livre de San Michele, La Mousson, Ambre,* peut-être aussi *Autant en emporte le vent* et les *Jalna*.

Car, pour les adolescents qui débutent dans le monde de l'imaginaire, les premières lectures au-delà du domaine scolaire, des contes de fées et des ouvrages pour enfants, laissent dans la mémoire des traces indélébiles.

Sarn, en particulier, me marqua, et il y avait de quoi ! Écrit avec sensibilité par une Anglaise, Mary Webb, la narratrice de ce beau et fort roman est une jeune fille née avec un bec-de-lièvre, ce qui n'est pas révélé tout de suite. Est-ce le fait de son handicap ? Prue a un grand cœur, est plus vive, meilleure et plus instruite que son entourage ; grâce à une sorte de sorcier, elle apprend rapidement à lire et à écrire dans une communauté de rudes paysans montagnards qui n'ont pas accès à une éducation livresque, ce qui fait que la jeune fille est à la fois méprisée, admirée et jalousée... Or n'est-ce pas le lot de tous ceux qui sortent de leur condition – ainsi de tout adolescent qui s'engage dans des études qui vont le conduire à dépasser ses proches ?

Forte de mes réflexions et d'une vie intérieure que je conservais secrète, je ne pouvais que m'identifier à Prue en lisant *Sarn*. D'autant que, décrit par le menu, le monde rural dans lequel elle vit est extrêmement pauvre : on y manque de tout, on doit faire attention à la moindre chose, épargner la nourriture, l'eau, le bois. Ce qui était le cas de la plupart pendant la guerre. Autre raison de me reconnaître dans une histoire par instants tragique, féroce aussi – une autre jeune fille, tombée enceinte hors mariage, est acculée au suicide avec son bébé – mais qui se termine prodigieusement bien : Prue finit par obtenir l'amour de l'homme qu'elle aime en secret depuis toujours, le tisserand vagabond ; lequel, pour lui déclarer sa flamme, l'embrasse sur sa lèvre fendue : au vu de ses qualités de cœur et d'intelligence, son infirmité ne compte pas !

Quelle plus belle leçon de vie pour une jeune fille en formation, peu sûre d'elle-même et aspirant à l'amour absolu ! Le soir, bien au chaud dans mon lit, je lisais et relisais *Sarn*, tandis que la neige tombait sur la maison dans un silence à peine troublé par le faible son de la radio anglaise que captait ma tante.

Ce vaillant murmure venu de si loin exerçait sur nous son pouvoir. Si le déchaînement des éléments extérieurs – aussi bien la neige, les tempêtes, que les forces d'occupation – contribuait à nous isoler, le continuel message transmis par les quelques ondes nous assurait qu'ailleurs, dans des régions pour nous inaccessibles, des Français pensaient à nous, cherchaient à nous joindre, à nous convaincre que nous n'étions pas prisonniers pour toujours, que la lumière de la liberté reviendrait.

Non sans efforts ni sans risques, mais grâce au combat et au courage de quelques hommes. Pour nous, les femmes, nous n'avions qu'à attendre, tenir, espérer. Et si nous n'éprouvions pas de culpabilité pour notre inaction, c'est qu'il y avait peu de femmes – du moins à notre connaissance – parmi les combattants, en tout cas aucune pour s'exprimer à la radio de Londres.

Aussi, pour triompher des forces du Mal, nous pensions pour la plupart que nous n'avions qu'à nous atteler, geste après geste, comme la Prue de *Sarn*, à notre activité de survie quotidienne.

En gardant au cœur la vertu, d'après Charles Péguy, cardinale entre toutes : l'espérance.

C'est longtemps après la guerre que ma tante finit par me narrer le périple de François Hesse, mon oncle et son mari, au cours de ces années obscures. Sa belle-mère – la mère de François –, devenue veuve en 40, était venue nous rejoindre aux *Jonquilles* et François n'avait guère envie d'abandonner à leur sort – qu'allait-il être ? – ces deux femmes et les trois adolescents dont il se sentait responsable. Ce petit groupe n'était pas à l'abri des persécutions antisémites, du fait de dénonciations toujours possibles. Soudain prévenu que lui-même était personnellement visé – car, à côté des dénonciateurs, il y a aussi les sauveteurs –, François finit pas se résigner à partir. À l'aventure, mais avec pour but ultime de rallier de Gaulle et la France combattante.

À l'époque, toute fuite implique la nécessité d'emporter sur soi de l'argent pour subvenir aux besoins premiers, mais aussi pour s'octroyer les faveurs d'un passeur. C'était un métier profitable qu'exercèrent des gens de tous ordres et de toute moralité. Déjà, pour franchir sans encombre la ligne de démarcation et les frontières, par de petits sentiers et aux bonnes heures, il fallait être du coin, mais aussi avoir parfois des accointances avec l'occupant ou la Milice. À partir de quoi, tout se trouble, devient confus, aléatoire, car les autorités se faisaient aussi payer par les passeurs pour ouvrir ou fermer les yeux.

Dans certains cas, il pouvait être plus juteux – et moins dangereux – de livrer ceux que l'on convoyait plutôt que de les acheminer à bon port. Période louche où le fait que le maréchal Pétain fût en théorie le chef d'un gouvernement français – policier autant que fantôme – donnait du flou à la morale. Le Maréchal réprouvait, interdisait qu'on aidât qui que ce soit à rejoindre de Gaulle ; aussi, pour un passeur, faire arrêter ceux dont il s'était fait le guide, c'était, à tout prendre, se montrer patriote. Mérite dont garder l'argent payé par le trahi, alors déclaré traître, était bien sûr la juste récompense !

Mon oncle François connaissait ces aléas. Ce qui ne l'empêcha pas de tomber dans des pièges où il vit son argent s'envoler. Toutefois, en prévision, sa femme, Fernande, lui avait cousu un billet de mille dollars dans le revers de son pantalon, ce qui le sauva lorsque, faute d'un visa malencontreusement oublié sur ses faux papiers (cher payés), il se fit arrêter en Espagne et jeter en prison. C'est le consul du Pérou, que ma tante connaissait par son épouse, qui l'en fit sortir en s'octroyant au passage la moitié de ces mille dollars qu'il fallut extirper de leur cachette.

Mon oncle se retrouva alors en Afrique du Nord d'où il rejoignit Londres ; on lui donna pour mission de parler à la radio anglaise sous le nom de Desgenette. Mais les messages cryptés qu'il tenta de faire parvenir à sa femme ne nous atteignirent jamais. Pendant près de deux ans, nul ne sut ce que François était devenu.

Une épopée ? Rien que de très ordinaire, à l'époque. Chacun dans sa famille, autour de soi, quand ça n'est pour son propre compte, a vécu une histoire de cet ordre ; l'étonnant est quand elle se termine bien. Un petit miracle qui, bizarrement, intéresse peu les auditeurs, friands avant tout de tragédies.

Un autre épisode qui s'est passé sous mes yeux sans pour autant que je m'en aperçoive ni qu'on m'en avise concerne Émile Schreiber et son fils Jean-Jacques. Eux aussi quittent un beau matin Megève en prenant ce qu'on pourrait appeler la « poudre d'escampette ». Denise, forte autant que désespérée, les accompagne en voiture jusqu'à la frontière espagnole pour les voir partir à pied, sous l'égide d'un passeur heureusement de bon aloi. Mais, au-delà des Pyrénées, à l'instar de François, ils sont aussitôt mis en prison avant de pouvoir, sains et saufs, gagner l'Afrique du Nord et rejoindre de Gaulle...

L'inconscient, dit-on, sait toujours tout. Bien que non avertie de ces allées et venues, ne cherchant pas à en percer le secret, je devais être au courant. Un détail m'avait en quelque sorte mis la puce à l'oreille : pourquoi diable est-ce qu'Émile et son fils, un été, avaient entrepris à pied l'ascension du mont Blanc ? N'y avait-il pas autre chose à faire, en cette période difficile, que des excursions de plaisance ? En fait, ces messieurs s'entraînaient discrètement en vue de leur longue marche à travers les Pyrénées.

Beaucoup d'autres, parmi les jeunes gens dont je fis la connaissance après la guerre, étaient entrés tôt dans la Résistance pour rejoindre le maquis. Ainsi Jacques Duhamel, Valéry Giscard d'Estaing, Simon Nora – héros du Vercors –, Brigitte Servan-Schreiber, laquelle, arrêtée à la veille de la Libération, ne fut sauvée que grâce à la compassion que sa jeunesse déclencha chez un soldat âgé de la Wehrmacht : il ouvrit la porte de sa cellule, lui enjoignit de reprendre sa bicyclette et de s'enfuir...

Cette situation de violence poussa également à l'exploit bien des prisonniers de guerre qui durent tenter de s'évader plusieurs fois avant de réussir de façon plus ou moins rocambolesque, tels François Mitterrand ou Pierre Mendès France…

Dans les cas où les protagonistes de ces aventures devinrent célèbres, on en connut tous les détails, car elles font partie de leur légende comme de la nôtre ! Mais un très grand nombre d'hommes et de femmes, certains très jeunes, dont on n'a jamais entendu parler, traversèrent des épreuves similaires, parfois pires. S'ils se sont tus, n'ont rien écrit c'est autant par discrétion que par grand désir d'oublier. Dans la conviction que ces contes cruels lasseraient les autres, ou qu'ils ne seraient pas crus.

Mais ce qui s'était passé de pire, du fait des nazis et de leurs complices, dans les camps d'extermination, on n'accepta de le savoir que bien après, quand on se sentit quelque peu cicatrisé pour son propre compte. D'autant que les rescapés de la « solution finale » étaient rares et généralement muets. Murés. Hors tout.

Jean-Jacques, aussi, s'est tu en partie. Il ne m'a pas parlé de son séjour dans les geôles espagnoles (il avait alors dix-huit ans) ni de son périple jusqu'en Afrique du Nord, seulement de son séjour aux États-Unis où il subit un entraînement de pilote de chasse. Il souhaitait voler depuis toujours et c'est avec ravissement qu'il me racontait ses premiers contacts avec son avion, le

PT47, et ce sentiment de liberté qu'il éprouvait à se retrouver seul à bord, en plein ciel.

Quant à la souffrance de l'avoir précédemment perdue, cette liberté, d'ignorer s'il la retrouverait jamais, il ne me l'a pas confiée. Peut-être étions-nous trop proches, trop amoureux, et craignait-il ainsi de m'ôter quelque chose de ma joie de vivre ? Durant notre vie commune et même après, il m'a écrit quantité de lettres au thème récurrent : « Sois heureuse, j'ai besoin que tu sois heureuse… » Taisant ce qui risquait d'altérer ce bonheur dont il me voulait habitée.

Mon père non plus ne souhaitait pas me parler de la bataille de Verdun où, en 1916, ayant à peine plus de vingt ans, il fut grièvement blessé – il en gardait un éclat de shrapnel inextrayable, tout près du cœur. Il fallut qu'il ait passé les quatre-vingt-dix ans pour que je lui arrache enfin le récit de ces heures où, si jeune, il pensa mourir : abandonné sur un brancard dans un hôpital de fortune, il entendait les médecins douter à voix haute de ses chances de survie.

Lui aussi, à sa façon, avait besoin que je fusse heureuse et, du coup, refusait de m'ôter une parcelle de ma confiance en la vie en me faisant partager des souvenirs par trop douloureux.

Je devais tout de même en avoir mon comptant. À la demande de Frédéric Rossif, j'eus le privilège – c'en était un – d'interviewer une vingtaine de survivants du ghetto de Varsovie et de ce qui en était la suite, le camp de Treblinka. Frédéric Rossif tournait alors un film sur le ghetto, il m'avait embauchée pour l'aider à rédiger le scénario ; il me demanda de prendre un à un ces survivants et de les faire raconter ce qu'ils avaient vécu. Ces hommes et ces femmes, qui vivaient désormais en France et parlaient notre langue, m'étaient reconnaissants de bien vouloir les écouter et d'enregistrer leurs récits – à la fois horriblement semblables et incroyablement singuliers – en y accordant tout le temps qu'il fallait. C'était en 1960. (Ces interviews parurent *in extenso* dans le *France-Soir* de l'époque.) La première chose que me confièrent ces rescapés d'une période qui reste une honte pour l'humanité occidentale, fut leur difficulté à se dire. En famille, raconter cette déshumanisation dont ils se demandaient encore s'ils étaient vraiment sortis, ne leur était pas possible : les leurs ne voulaient pas écouter, ne le supportaient pas.

Je le tolérais mal, moi aussi, je sentais que je me congelais au fur et à mesure que je découvrais jusqu'où peut aller l'abominable plaisir – joint à la férocité – que certains de mes semblables prirent (prennent) à humilier et à torturer… En même temps, cette tardive prise de conscience – j'avais plus de trente ans – m'était devenue nécessaire. J'avais besoin de m'informer à la source de ce qui s'était passé dans cette Europe en principe civilisée, mère des arts les plus raffinés, où j'étais née – et qui s'était entretuée sauvagement alors que je vivais dans le silence de Megève sous la protection de sa barrière montagneuse.

Pour devenir adulte, c'est-à-dire accéder à moi-même, je devais en savoir le plus possible – car on ne saura jamais tout, par incapacité et refus de concevoir – sur ce qui s'était passé et qui a marqué à jamais notre génération mais aussi les suivantes. Quel qu'eût été le niveau de notre participation.

Pour certains, il avait été total. Ainsi pour Frédéric Rossif, le grand cinéaste né monténégrin. Après que ses parents eurent été fusillés par les nazis, il s'engagea à dix-sept ans dans la Légion étrangère, fit la campagne d'Italie, se battit à Monte Cassino – il m'a raconté le combat avec la verve qui pouvait être la sienne –, puis débarqua en Provence où la bataille fut tout aussi acharnée. Démobilisé, il décida de demeurer à Paris où il se retrouva seul, sans famille, sans argent, ne parlant pas le français... Une autre épopée commença pour lui.

Ce garçon-là, contrairement à moi, n'a été en rien préservé : de ses yeux il a vu l'horreur, comment se conduisent les hommes de n'importe quelle origine lorsqu'ils sont projetés dans la guerre, sans retenue ni limites...

C'est l'un des motifs, me confia-t-il, qui l'avaient poussé à filmer de préférence les animaux sauvages : lesquels chassent et tuent, tels les humains, mais, eux, sans jouissance. Et qui savent aimer leurs compagnons, leurs petits, et épargner ceux de leur espèce.

Et nous, allions-nous savoir aimer après cette débâcle générale du cœur et de la raison ?

La guerre nous avait précipités à Megève ; c'est elle qui nous en fait repartir. À l'annonce du débarquement en Normandie, l'agitation devient générale ! Du moins chez les adultes. À l'écoute de la radio de Londres, corroborée par de croissantes rumeurs émanant de la Résistance, notre petite communauté de personnes déplacées s'est mise à vivre dans l'attente et l'espoir. On rêve de revoir les siens dont on a peu ou pas de nouvelles, et de rentrer chez soi pour y reprendre telle quelle sa vie d'avant – comme si c'est chose concevable après un pareil cataclysme !

Il n'en allait pas de même pour nous, les jeunes qui, en trois ans, étions passés de l'enfance à l'adolescence, et n'avions aucune envie de nous retrouver à notre niveau précédent. Ç'aurait été « redescendre » moralement, mais aussi topographiquement, car nous avions acquis le sentiment – lequel n'était pas dénué de fondement –

qu'en dessous du plateau du Mont d'Arbois, à Megève, et plus bas encore, dans la vallée, les grandes villes, Lyon, Paris, Marseille, Bordeaux, c'était la pagaille. L'affrontement.

Ce qu'on nous avait dit au moment de la défaite et de l'armistice – que la guerre était finie – la violence des faits nous avait révélé qu'en réalité ça n'était pas vrai du tout. Comme atteint d'une maladie dont on supprime les symptômes mais qui continue à bas bruit, tout le corps social était affecté par les suites incontrôlables de cette drôle, de cette abominable guerre. À de multiples détails nous percevions que le mal, rentré, pouvait refaire surface à tout moment, ce qui arriva dès la Libération quand un partie de la France se vengea sur l'autre de ce qu'on l'avait contrainte d'endurer.

La guerre civile, larvée jusque-là, éclata alors au grand jour...

Avions-nous prévu cette explosion – d'où un renfermement, un repli sur nous-mêmes qui ressemblait à de l'indifférence ? Les tout jeunes, quand ils ne se sont pas déjà enrégimentés par les aînés, sont souvent des voyants, et je crois que nous pressentions le danger que représentaient tant de haines accumulées, et les règlements de comptes à venir nous répugnaient d'avance.

Reste que nous étions soulagés, comme tout le monde, par le départ précipité des Allemands dont la présence effective à Megève même était devenue une menace permanente. Depuis novembre 1942, c'en était fini de la zone dite libre. Et, en 1943, après le départ des Italiens dont on raillait le couvre-chef à plume, les Allemands, infiniment plus nocifs, avaient pris Megève en charge, à la terreur de la population.

Si, au début, les occupants avaient joué le jeu trompeur de se montrer « corrects », désormais il n'y avait plus d'ambiguïté : il n'était que de les voir aller et venir, sanglés dans leurs uniformes vert-de-gris, le regard absent et dur, pour savoir qu'ils n'attendaient qu'une occasion pour réprimer ce qui leur paraîtrait anormal. Il y suffisait d'une parole, d'un geste, d'un soupçon. À quoi s'ajoutaient de brutales prises d'otages qui aboutissaient à des pendaisons et à des fusillades.

Les occupants se révélaient dès lors ceux que nos pères appelaient « les Boches ».

Vite, qu'ils s'en aillent !

Mais si leur départ était ardemment souhaité, ce qui se libérait au fur et à mesure n'était pas que le territoire ; éclataient aussi ces forces du mal que le nazisme avait semées et qui proliféraient derrière lui. Il faudra encore des années et des années pour nettoyer de fond en comble le pays des séquelles de cette occupation satanique dont il subsiste hélas des traces…

Pour l'heure, comme après tout séisme, chacun ne pensait qu'à retourner sur place voir ce qu'il restait de son « chez soi ».

Fernande, elle, ne se hâta pas : elle attendit de savoir que son mari avait regagné Paris enfin libéré pour y revenir avec ses enfants, en novembre 1944 – une date que mon cousin me confirme – j'étais, moi, rentrée plus tôt. Après la nouvelle du débarquement en Normandie, Maman, sentant se rapprocher la bataille, ne supportant plus que nous fussions séparées, dès juin réclama mon retour.

Je pris l'un des premiers trains en partance pour Paris. Étrange voyage dont je garde un souvenir halluciné : une multitude de personnes cherchaient alors à bouger, et ceux qui ne s'étaient pas enfournés les premiers dans les wagons, en repoussant tout le monde – ce qui n'était pas dans mes manières –, n'eurent plus qu'une possibilité : y grimper par les fenêtres. J'y parvins, hissée par ceux qui étaient encore sur le quai, en même temps que tirée par quelques-uns déjà installés à l'intérieur. Une fois dans les compartiments, inutile de songer à s'asseoir ; je me posai dans le couloir pour de longues heures – le trajet durait plus d'une journée –, assise à même le sol, si compressée qu'il n'était pas question de s'allonger.

Toutefois, se retrouver en nombre était en l'occurrence un réconfort : dans certains cas, la présence de la foule rassure, car on a le sentiment – parfois illusoire – qu'aucune autorité ne pourra faire le poids ni sévir face à tant de monde... D'autant que l'ordre imposé par les Allemands se défaisant comme un tricot qui file, ces convois surchargés étaient devenus d'invraisemblables fourre-tout sans surveillance, sans employés, sans contrôle (plus d'*ausweis* depuis la suppression de la ligne de démarcation) où tout se passait à la fois mal et bien.

Pour moi qui venais de vivre dans l'isolement, c'était une nouveauté que me retrouver noyée dans cette masse, sans autre protection que la conviction que j'allais vers du nouveau et peut-être du meilleur.

Ce qui était vrai.

Mon arrivée à Paris, sale et fatiguée par cet interminable voyage dans un train surchargé, n'avait rien à voir avec les retours du Limousin de mon enfance, où nous débarquions sur les quais de la superbe gare d'Orsay. Quand nous ne rentrions pas en voiture dans la Peugeot conduite par Maman : de la porte d'Orléans, on regagnait Chaillot par la place de la Concorde qui, magnifiquement illuminée par sa couronne de réverbères, me faisait penser à un gros gâteau d'anniversaire.

Cette fois, Maman vint me chercher en métro gare de Lyon et nous rentrâmes de même. Si j'étais heureuse de me retrouver à la maison, elle me parut quelque peu dégradée par le manque d'entretien. M'y attendaient avec impatience ma tante Gabrielle et ma sœur qui allait sur ses seize ans.

Jean-Claude Bujard aussi avait été rappelé par son père dans sa famille, laquelle habitait non loin de la mienne, avenue Victor-Hugo, et nous

nous voyions tous les jours, en rappel de Megève. Pour assurer une bonne continuité à nos habitudes, nous allions rouler, si possible en bande, jusque dans les bois de Saint-Cloud, bien déserts à l'époque.

Christiane était avec nous, elle avait également quitté Megève et habitait chez son père – là aussi, heureuse surprise, non loin de chez moi. (Durant nos années mègevanes, aucun de nous n'avait jugé utile de communiquer son adresse parisienne aux autres.) Sevrés de montagne, de grand air, d'espace illimité, nous partions ensemble à bicyclette le plus loin possible, s'il faisait beau, une fois même jusqu'à Saint-Germain, et tous les jours au bois de Boulogne, notre meilleur refuge.

Nous nous enfoncions dans ses fourrés presque rendus à l'état sauvage où couraient des chevreuils, des lapins et, comme c'était l'été, nous nous allongions sur le sol à regarder entre les branches défiler les nuages.

Ailleurs, en Normandie, dans le Midi, on se battait férocement. Les bombardements, ceux de l'armée allemande en retraite comme ceux des armées libératrices, s'intensifiaient, tuant des milliers de personnes qui venaient juste de fêter le débarquement. À Paris, les Allemands veillèrent le plus longtemps qu'il leur fut possible à ce que la vie se poursuivît « normalement » : circulation réglementée, zones interdites. Maman continuait à aller tous les jours à bicyclette – plus d'essence pour personne – à sa maison de couture, y travailler à une future et hypothétique collection.

Nous vivions toujours sous le régime de l'arbitraire et, sans préavis, des mesures furent prises, interdisant de sortir de Paris. Plus question de franchir la Seine pour aller jusqu'à Saint-Cloud ni même au bois : des barrières surveillées par la Wehrmacht se dressaient partout. Maman nous enjoignit, à ma sœur et à moi, de demeurer à la maison, et nous lui obéîmes – que faire d'autre ? Il y avait un toit en terrasse sur notre maison du haut de Chaillot, l'été battait son plein et je me souviens d'avoir vu passer un petit obus qui s'en allait tranquillement exploser plus loin... Ç'aurait pu être sur nous, mais les temps étaient tels qu'un danger évité s'oubliait aussitôt.

En fait, le manque de sécurité était depuis longtemps notre pain quotidien. Et puis, chose étrange, Maman, qui se montrait si angoissée dans la vie courante, en cas de réel danger se révélait d'un sang-froid à toute épreuve.

Sa façon de se rendre tous les matins, imperturbable, à son travail, de s'occuper tant bien que mal du ravitaillement – ses ouvrières rapportaient des provisions de leur banlieue tant qu'elles purent encore accéder au quartier des Champs-Élysées – nous donnait le sentiment, à nous autres jeunes, que si la vie prenait une drôle d'allure, elle allait son cours en quelque sorte normalement.

Jusqu'à l'entrée des troupes françaises et américaines dans la capitale. On attendait cette libération sans trop savoir comment elle se passerait – on sut plus tard que tout Paris, miné, aurait pu sauter... Un beau soir, à la fin août 1944, toutes les cloches de toutes les églises se mirent à sonner en même temps. Comme ce n'était ni le glas ni une alerte, chacun comprit que quelque chose d'énorme et de triomphant venait de se produire. Les gens sortirent de leurs maisons, tels quels, les femmes sans sac, sans chapeau – des fourmis quittant en masse leur fourmilière – pour se regrouper dans les rues, s'embrasser entre inconnus, marcher vers l'Étoile...

Plus tard, nous apprîmes qu'il y avait eu encore bien des tués à Paris, à la fois dans des combats d'arrière-garde contre les Allemands qui faisaient retraite en désordre, mais aussi à cause des snipers, ces irréductibles pro-occupants embusqués sur les toits. Ces assoiffés de sang tiraient au hasard, comme des chasseurs fous, sur tout ce qui bougeait... Dans notre quartier aux frontières du XVIe et du VIIIe arrondissements, il y en eut, je crois, moins qu'ailleurs, ce qui fait que la fête nous parut entière.

Avec Jean-Claude et quelques autres, je me précipitai danser au pied de l'Arc de Triomphe

– lequel méritait à nouveau son nom – sur une piste gigantesque qui englobait toute la place et les avenues des Maréchaux.

Cet enthousiasme – il faisait beau – dura plusieurs jours, plusieurs nuits... Mon père me rapporta plus tard qu'étant monté de son côté jusqu'à l'Étoile, il avait vu une femme se faire tondre dans un déchaînement de haine et de liesse, ce qui fait qu'il était retourné chez lui, rue Cortambert, tout attristé. J'eus la chance de ne pas être confrontée à ce désolant spectacle ; au contraire, je ne vis autour de moi que sourires, drapeaux déployés, bonheur débordant...

Maman m'avait prêté l'un de ses derniers modèles, une robe qu'elle venait de faire broder par la maison Lesage : blanche, avec des deux côtés de la poitrine une guirlande de coquelicots et de bleuets. Ce qui fait qu'elle était bleu, blanc, rouge. Je me rappelle avoir fièrement descendu le trottoir gauche des Champs-Élysées dans ma robe patriotique, et tout le monde se retournait sur moi.

Infime gloriole, sans comparaison avec celle de ma future belle-sœur, la sœur de Jean-Jacques, Brigitte Servan-Schreiber : la jeune fille, dix-neuf ans, avait été chargée d'offrir le bouquet de bienvenue à de Gaulle, à Notre-Dame, lorsque le général vainqueur y fit sa grandiose déclaration :

« Paris ! Paris outragé ! Paris brisé ! Paris martyrisé ! mais Paris libéré !... »

Des images furent tournées de ce moment inoubliable, et sont souvent rediffusées : sous le coude du grand homme, on aperçoit le visage encore enfantin d'une toute jeune femme, coiffée d'un béret militaire, les yeux pleins de larmes : c'est Brigitte, la combattante de l'ombre, et ce jour-là de la lumière. Elle fut ensuite engagée dans l'armée Delattre qu'elle suivit jusqu'en Allemagne pour ne revenir chez les siens qu'après sa reddition.

Différence des destins. Les uns – parfois dans la même famille – recouvrent la liberté de vivre, d'agir, de s'exprimer, d'écrire ; d'autres, des ex-collaborateurs, sont arrêtés, emprisonnés, jugés, condamnés, certains à mort. Quantité de Français émigrés reviennent d'Angleterre, des États-Unis, d'Amérique du Sud. Beaucoup de ces exilés volontaires, partis en hâte dès la défaite, tentent de récupérer leurs biens saisis ou abandonnés. (Maman avait conservé chez elle quelques œuvres d'art appartenant à des juifs, qu'elle eut la joie de pouvoir leur restituer intactes.) Chacun tente de se replacer dans le courant, les uns de la vie ordinaire, d'autre dans ce qui allait les rendre riches ou célèbres – ou les deux : la reconstruction.

Maman, qui avait frisé de peu la faillite, voit sa maison de couture prendre un nouvel élan en dépit du lancement par Christian Dior de sa ligne révolutionnaire : le *New Look*. Comme les autres couturiers, ma mère se voit alors dans l'obligation de suivre cette révolution du chiffon qui précédera bien d'autres *nouvelles vagues* dans les domaines de l'art, du cinéma, de la littérature : elle rallonge les jupes jusqu'à la cheville, comprime les tailles, gonfle les bustes, supprime le rembourrage des épaules... Cela marche. Tout marche, à l'époque !

Quant à moi, un peu déboussolée, n'ayant rien à faire, puisqu'on ne me demande rien et que je continue à n'ambitionner que l'amour, je vais m'inscrire rue d'Assas, à la faculté de droit. À l'époque, les cours sont magistraux, la distance énorme entre les professeurs et les élèves, et je me serais sentie bien seule face à mes manuels et aux polycopiés s'il n'y avait eu les fêtes !

Ces réjouissances avaient démarré avec celles de la Libération qu'elles perpétuaient sous toutes les formes : bals, réceptions privées, boîtes de nuit, caves, surprises-parties, danses improvisées dans les rues, aussi poétiques, inattendues et féeriques qu'une jeune fille romantique pouvait les rêver...

C'est à l'adolescence qu'on se constitue son premier « trousseau », composé de ses premiers biens propres – ceux de l'enfance, ours en peluche, patins à roulettes, train électrique, etc., étant devenus caducs.

Or, pendant la guerre, il n'y avait pratiquement rien à acquérir – sinon, lorsqu'ils décidaient de vous les offrir, les restes des adultes. Et si je me souviens si bien de ma veste bleue, de ma paire de chaussures pour terrain sec – en daim fauve avec de grosses semelles de crêpe –, de mon fuseau Allard, c'est que je ne possédais rien d'autre. Pas même une montre-bracelet... Point de cosmétiques (c'était déjà beau d'avoir du savon), peu de linge, un ou deux pyjamas. N'en ayant guère besoin, je ne portais pas de soutien-gorge, ni bas ni collants évidemment.

Il y avait peu de variété dans la nourriture. Aucun superflu : les bonbons, les barres de ci et de ça n'existaient pas... Encore moins les sodas. J'ai conservé l'habitude de considérer que la boisson normale et suffisante, c'est l'eau. À l'époque, elle sortait du robinet.

Cette pénurie, qu'on peut aussi appeler légèreté – j'ai toujours aimé l'expression anglaise : *travelling light*, voyager léger – m'a laissé des traces. Les unes favorables : s'il en est besoin, je peux facilement me passer de presque tout, côté nourriture et confort. Pendant des années, lorsqu'on me demandait : « Est-ce que tu es bien ? », entendant par là : « Es-tu bien assise, bien installée... », je répondais avec étonnement : « Mais oui, bien sûr, pourquoi ? » Cette adaptabilité m'a permis de longtemps suivre Jean-Jacques dans ses pérégrinations en tout genre – la guerre m'avait exercée à l'âge où l'on se forme.

En revanche, elle ne m'a pas permis de devenir une « bonne maîtresse de maison », car c'est à l'adolescence qu'on vous enseigne la couture, la cuisine, le rangement, le ménage. Or nous disposions de si peu de produits alimentaires que ma tante se réservait de les cuisinier elle-même, quand elle ne les enfermait pas à clé dans des placards (tels le sucre, le chocolat...). Je n'avais donc pas l'occasion de m'approcher du fourneau. Pas plus que de repasser... Repasser quoi ? Mes chandails, mes chaussettes, ma culotte en coton ? Pour ce qui est de mon pantalon, il y avait quand même un teinturier à Megève qui faisait le gros.

De retour à Paris, je me retrouve dans une maison de femmes, lesquelles, me sachant maladroite et ne l'étant pas – élevées, elles, chez les sœurs –, préfèrent se passer de mes services. Je me suis donc mariée ne sachant rien faire, avec un jeune homme qui ne m'a rien demandé, du moins sur ce plan-là.

C'est au contraire lui qui m'a appris les quelques petites choses qu'il tenait de son séjour à l'armée : comment plier des vêtements, en particulier les vestes avec épaulettes, en vue de les mettre dans une valise. À mon vif émerveillement, il savait aussi coudre un bouton, repriser des chaussettes... Et il m'a montré comment téléphoner : vite, efficacement... Car on ne téléphonait pas pendant l'occupation, du moins pas moi – à qui ? Les lignes d'une zone à l'autre étaient coupées et, de toutes ces années-là, je ne me souviens pas de m'être approchée une fois d'un combiné.

Dès notre rencontre, Jean-Jacques m'a offert un agenda pour que j'y note mes rendez-vous, les numéros de téléphone, ce à quoi il fallait penser... À Megève, je n'avais rien à inscrire, mes horaires de classe figuraient sur un tableau au collège, et quant à la descente hebdomadaire au cinéma, impossible de n'y pas penser ! Le reste s'improvisait entre membres de la bande, selon le temps et les rencontres quotidiennes...

Je me dis que j'ai eu cette chance, pendant mon adolescence prolongée, de jouir d'une liberté d'être qui n'a fait que s'effriter au fur et à mesure que je me suis socialisée.

Pourtant, j'ai résisté : mes rapports avec la cuisine sont réduits au minimum (salades, cuisson à la vapeur, fruits...). Pour ce qui est du ménage, je ne repasse toujours pas – mes vêtements actuels sont dans l'ensemble infroissables –, et je ne passe pas l'aspirateur (le balai parfois, où la serpillière derrière mes animaux...). Quoi que je fasse, c'est au plus vite afin d'être débarrassée des contingences et de me retrouver oisive.

Pour moi, vivre c'est ne rien faire, absolument rien, que rêver. Alors les pensées, les idées m'arrivent d'elles-mêmes, les mots aussi, et je finis par me mettre à écrire – à condition d'être assurée d'avoir des heures, c'est-à-dire du vide devant moi... Comme à Megève, quand je rêvais la vie pour ne pas savoir à quel point elle était menacée.

Dans le « sas » entre la libération de Paris, la fin de la guerre et la reprise, sous le gouvernement de Gaulle, d'une activité qu'on pouvait considérer comme « normale », il m'a été offert, alors que je ne m'attendais à rien, de vivre la vie dorée d'une jeune fille du monde.

Du moins telle qu'on la concevait avant-guerre et telle qu'elle se poursuivit encore un peu jusqu'à la fin des années cinquante où, avec Bardot et Sagan, la « jeune fille » changea brusquement de condition, de mœurs et d'allure, conquérant aussi le droit d'avoir des désirs et de se mettre à les suivre...

Pour moi, j'étais chargée à mon insu d'exaucer ceux, déjà démodés, que nourrissaient mes parents pour ce qui était de mon avenir. Pour mon père, une fille n'avait qu'une chose à faire : trouver un mari et, en attendant, faire un peu de musique, quelque lecture, surtout sortir beaucoup dans un milieu propice à nouer un « beau » mariage. Quant à ma mère, qui n'avait pas pu profiter de sa jeunesse tant elle avait dû entrer tôt dans les ateliers de couture pour subvenir aux besoins de sa mère et de leur foyer, elle souhaitait que je jouisse de ce qu'elle-même n'avait pas connu. Si elle me poussa à quelque chose, ce ne fut pas à faire des études – j'en fis de mon plein gré –, mais à l'oisiveté, en fait aux loisirs et, à l'instar de mon père, aux sorties.

Mais si mon père entrevoyait un but utilitaire aux sorties de sa fille – il me demandait qui étaient les gens chez qui j'étais allée, notait leur nom, leur adresse, opinait du bonnet quand la famille lui paraissait de bon aloi, et je le soupçonne de s'être renseigné ensuite sur leur compte –, pour ma mère il ne s'agissait que de participer à des fêtes et d'y briller le mieux possible.

Quant à moi, je ne faisais que me rendre avec insouciance là où j'étais conviée. Uniquement pour le plaisir... Dans l'ivresse de découvrir – tous les jeunes le font un jour ou l'autre – ce que c'est que vivre la nuit alors que si longtemps on vous a forcé à vous coucher bien trop tôt à votre goût, et à dormir.

Détestable contrainte, encore renforcée pendant la guerre par le couvre-feu ! Non seulement il était interdit de sortir de chez soi à partir d'une certaine heure, mais on devait restreindre l'éclairage et peindre en bleu foncé les vitres de ses fenêtres... Le *black-out* !

La première fois qu'il m'advint de ne pas me coucher avant le lever du soleil m'est restée comme un événement mémorable. Après avoir dansé jusqu'à l'aube dans l'une des boîtes de nuit à la mode – *Carrère* –, nous partîmes à plusieurs à la campagne, au vent d'une voiture découverte, les uns en smoking, les autres en robe longue, prendre un petit déjeuner dans une auberge de Montfort-l'Amaury. En regagnant la maison, je me suis dit : « C'est donc ça, la vie ? Mais c'est merveilleux ! »

J'éprouvai la même surprise heureuse qu'après m'être soudain rendu compte que je n'avais plus besoin de me réveiller tous les matins sur une sonnerie quasi militaire pour aller en classe.

Cette aube-là, Maman dormait encore, et je lui dois ce bonheur qu'elle n'émit aucun reproche ni ne m'édicta aucune règle.

Elle ne se souciait que de mes robes – ses créations –, de ma coiffure, de mon apparence et de la politesse de mes amis. Pas du tout de mes horaires ni de ce que je pouvais bien faire avec tous ces garçons qui ne cessaient pas de téléphoner...

C'est que Maman, plus encore que moi, aimait la fête, la notion de fête. N'avait-elle pas choisi de travailler sans relâche et avec ravissement pour parer les femmes qui s'y rendaient – et désormais sa fille ?

En vue d'une soirée ou d'une autre, je me précipitais avenue George-V pour emprunter des toilettes, légères l'été, plus étoffées l'hiver. Je les ramenais sur mon bras ou, si elles étaient trop conséquentes du fait de leurs jupons, le livreur me les apportait pliées sous du papier de soie dans de beaux cartons gris pâle au nom de la maison de couture qui était celui de ma mère.

Je m'habillais vite, contemplée par Maman qui rajoutait une épingle double, faisait un petit point si la robe m'était trop large à la taille, me prêtait son collier de perles – jamais de boucles d'oreilles, jugées vulgaires à l'époque –, m'ajustait une fleur dans les cheveux.

Puis elle descendait avec moi au rez-de-chaussée et, par l'entrebâillement de la haute porte vitrée, me regardait partir, le plus souvent avec Jean-Claude à qui elle recommandait de prendre soin de moi.

En ce début des années 45, nous n'avions que nos bicyclettes pour nous transporter ; ne pouvant enfourcher la mienne du fait de ma toilette, je me juchais en amazone sur le porte-bagages de mon cavalier, tenant à deux bras mes longues jupes pour qu'elles ne se prennent pas dans les rayons des roues.

Sourire heureux de Maman de voir sa fille partir pour une fête ! Deux ans plus tard, je franchirais cette même porte, cette fois pour toujours, pour une autre fête, au bras de mon jeune époux, Maman en larmes.

Jusqu'à quel point ma mère vivait-elle mes soirées par procuration ? Nous les commentions peu, à l'époque, et elle ne me faisait aucune recommandation sur mon comportement ; il devait être évident pour elle que je me tiendrais bien. Le sexe, on ne s'en souciait pas à la maison ; pour nous, le vrai plaisir était ailleurs, dans la beauté, la parade, la fête – et qu'est-ce qu'une fête, sinon un interlude hors des chagrins de la vie courante ?

Maman, qui avait eu et avait encore ses peines, aurait voulu qu'on évolue sans cesse à l'intérieur de ce cercle magique, et c'est peut-être pour lui complaire, achever de la consoler de sa vie de femme trop seule, aussi de la guerre et de ma longue absence, que je m'y suis adonnée en ces années-là où je ne me rappelle pas avoir fait grand-chose d'autre que danser ! Ou essayer des robes.

Alors que je garde des images et des souvenirs on ne peut plus précis de ce qui s'est passé à partir du moment où j'ai revu Jean-Jacques et qu'il m'a détournée de ma vie légère !

Les jeunes gens qui m'entouraient étaient le plus souvent beaux. L'un d'eux, les cheveux noirs, les yeux verts, s'appelait Robert de Douglas, et sa vue me chavirait. Lui, préférait la belle Christiane.

On tournoyait dans les bras les uns des autres, parfois sans s'asseoir de la nuit entière, c'était tout.

Le meilleur de nos danseurs était sans conteste Guy d'Arcangues. Petit, mais d'une rapidité et d'un rythme à la Fred Astaire. Sur la musique enveloppante d'orchestres avec musiciens et chanteurs, on ne dansait jamais seul ; on s'abandonnait à deux à la mélodie, comme voguant sur une mer étale, immobile, sans vagues ni marée… Je ne portais pas de montre, pour quoi faire ? Je ne ressentais aucune fatigue ; l'on rentrait parce que le jour se levait, une aube mélancolique, parfois gris sale. Pour prolonger le rêve dans des draps frais et blancs. Seule.

Ni voyages ni grands déplacements parmi mes distractions d'alors ; je les fis plus tard. Je garde toutefois le souvenir d'un château des environs de Paris qui appartenait à la famille de l'un d'entre nous, les Ganay. Nous y étions partis en bande, une fin de semaine. Il y avait Christiane, elle couchait dans la chambre voisine de la mienne. Ce matin-là, quand elle ouvrit la porte de communication, en chemise de nuit, l'œil mi-clos, elle était si belle, noire de cheveux, blanche de teint, que j'eus comme un éblouissement.

Je me rappelle aussi chez les Noailles, place des États-Unis, une très jeune fille blonde, appuyée contre une cheminée, dans une robe toute de velours noir qui lui couvrait le buste, lui enserrait les bras jusqu'aux poignets et comportait, sous sa taille étroite qu'il faisait encore ressortir, une sorte de vertugadin orné au bas de la jupe de trois bandes de couleur. Il m'arrivait rarement d'admirer une robe qui ne venait pas de chez ma mère, mais celle-là était un miracle digne d'un tableau de Vélasquez.

Le plus mémorable – et ce n'est qu'aujourd'hui que je comprends pourquoi – fut une sorte de pique-nique nocturne sur une prairie qui bordait la rive droite de la Seine, à la gauche du pont de Saint-Cloud. (J'ai cherché à retrouver le lieu ; construit, disparu, il n'existe plus.) Nous étions toute une bande et dans la semi-obscurité on se voyait à peine ; l'un d'entre nous devait avoir une radio ou un électrophone, il y avait sans doute de quoi manger et boire ; nous étions assis à même l'herbe. J'eus soudain le sentiment du merveilleux, comme celui qu'on éprouve en regardant certains tableaux, *L'Embarquement pour l'île de Cythère* ou *Le Déjeuner sur l'herbe*... En fait, cette réunion improvisée me rappelait, sans que j'y pense alors, le pique-nique qui avait eu lieu un soir d'été sur la pente du mont d'Arbois qui domine Megève.

Bien que fort loin de la Haute-Savoie, j'avais inopinément retrouvé le charme de la montagne et cette liberté que confère le fait de n'être qu'entre jeunes. Il me semblait que je les aimais tous, sans distinction, ces garçons et ces filles (dont quelques ex-Mègevans...). Je me persuadais que nous étions ensemble pour toujours, que nous aurions la même vie, les mêmes aspirations. Le fleuve, à deux pas de nous, avait beau chuchoter qu'on ne boit jamais deux fois de son eau, et que sous ses ponts couleraient nos amours mortes, je ne l'entendais pas.

Aucun mot, aucune conversation ne me reviennent en mémoire, seulement des sensations. La douceur de l'air sous les grands arbres, les multiples senteurs de ce beau soir d'été, l'envoûtement de la musique… Que mangeait-on ? Je suis sûre, en tout cas, que je ne buvais pas d'alcool, pas même un verre de champagne – je n'aimais pas. Il me fallait de l'eau, du jus d'orange, enivrée que j'étais par la joie étincelante, inquiète, qui fusait de moi… C'était trop beau, c'était « trop », comme disent superlativement les jeunes d'aujourd'hui.

L'intensité même de ce bonheur m'effrayait. J'avais encore en moi l'angoisse de la guerre et de l'occupation, et maintenant que l'information reprenait ses droits, celle de découvrir l'ampleur du drame qui, la veille, avait déchiré l'Europe entière. Arriverait-on jamais à s'en extraire ? Serait-on un jour véritablement heureux ? Il y avait eu trop d'horreurs, de blessures, d'inconsolables douleurs, j'avais beau chercher à m'en protéger, leurs vagues se propageaient jusqu'à moi pour repartir, puis m'assaillir à nouveau dans un douloureux flux et reflux.

C'est un jeune homme dont le regard d'un bleu aigu semblait voir plus loin que les faits et que nous tous, qui allait faire voler en éclats les restes de ma tour d'ivoire.

Peut-être aussi ma jeunesse.

Un jour que j'avais contemplé mon visage lisse dans une glace, j'écrivis dans mon journal d'alors : *Toute cette jeunesse comme un lourd fardeau dont un peu de temps va me délivrer...*

Un poète l'a dit mieux : *Oisive jeunesse à tout asservie.*

Paul Nizan, lui, reste célèbre pour une phrase qui exprime la même impuissante mélancolie : *Je ne permettrai à personne de dire que vingt ans est le plus bel âge de la vie.*

J'allais les avoir, ces vingt ans, et j'avais eu la chance, contrairement à tant d'autres, de pouvoir vivre sans trop d'entraves les derniers moments de ma plus haute jeunesse. Je n'étais même pas amoureuse !

J'allais l'être.

Pour entrer dans ce qu'on appelle « la vraie vie » avec ses épreuves, ses joies furieuses.

Avant-guerre, je ne savais même pas ce qu'était un bar, ni d'ailleurs un café. On n'emmenait pas les enfants dans ce genre d'endroits, mais uniquement dans des pâtisseries, comme celle de la *Marquise de Sévigné*, ou au restaurant, quand on était en voyage.

À Megève, les bars, *L'Isba*, *L'Équipe*, faisaient aussi boîte de nuit et devinrent par la suite les hauts lieux de la station. Mais, durant l'occupation, je ne me souviens pas d'y avoir ne fût-ce que pénétré.

Ce qui fait qu'à mon retour à Paris, tout de suite après la Libération, j'eus l'émerveillement de découvrir pour la première fois leur charme et leur luxe. Ceux de mon quartier étaient particulièrement huppés. Il y en avait un, avenue George-V, face à la maison de couture, où ma mère allait prendre un cocktail en fin de journée avant de rentrer à la maison, et, si j'étais dans les parages, elle m'y entraînait.

Il y en avait un autre rue Pierre-Charron : fauteuils profonds, lumière douce, où des flirts d'avant mon mariage me donnaient rendez-vous. Je garde également souvenir d'un bar dont je n'aurais pas soupçonné l'existence avant d'y être conviée, avenue Kléber, juste en face de l'hôtel Majestic qui fut longtemps l'un des quartiers généraux des Allemands, ce qui expliquait son emplacement.

Aller dans un bar, lorsqu'on a vingt ans, y commander l'un de ces délectables cocktails qui vous tournent la tête – *Alexandra, Rose, Side-car, Dry martini...* –, c'est se projeter dans une comédie américaine... J'adorais ! Je me sentais élégante, ayant fait en sorte de l'être, je tirais de mon sac un fume-cigarette en ivoire ou en écaille, allumais une blonde que j'éteignais presque aussitôt dans le magnifique cendrier à portée (on ne les volait pas encore)...

De quoi pouvais-je causer avec mon cavalier dont la vie, juste après la Libération, n'était guère plus remplie que la mienne – la preuve : il était là, avec moi, en pleine journée ? Je m'en souviens d'autant moins que si, d'ordinaire, je cherche à être vraie, là je jouais un rôle ! Je me revois croisant haut les jambes, disposant les plis de ma robe, considérant mes ongles peints en rouge comme l'étaient mes lèvres que je remaquillais dans le petit miroir de mon poudrier avant de ressortir.

Ces moments de frime et de séduction arrachés à ma vie alors monotone d'étudiante en droit – n'y tranchaient que les soirées – me paraissaient toujours trop courts. Rendue à moi-même et à la rue, il ne me restait qu'à reprendre ma bicyclette, éventuellement la voiture de Maman (en tant que commerçante, elle avait à nouveau droit à des tickets d'essence, mais ne s'en servait pas), juste garée devant le bar, privilège automobile de l'époque – et à rentrer à la maison. Où c'était le vide. Ma sœur était à ses études, ma mère et ma tante à la maison de couture, quant à mes cours de droit il n'était guère nécessaire d'aller en faculté pour les suivre, les polycopiés y suffisaient.

Était-ce déjà dans ma nature ? Même si la solitude me pesait, en même temps je m'y dilatais. Mon être profond rompait ses amarres, faisait surface tandis que j'allais et venais dans ce petit hôtel particulier déserté qui me devenait un univers. J'ouvrais des placards, feuilletais des livres, essayais des vêtements – dont ceux de Maman –, surtout montais et redescendais sans cesse les escaliers en ne pensant à rien de précis. Et c'était ce *rien* qui était important, me permettait – ce que je n'avais pu faire jusque-là – de m'épanouir...

Tous les jeunes, à certain moment de leur formation, ont besoin de solitude pour s'achever, se solidifier, se couper de leur milieu familial et social, mais, la plupart du temps, elle ne leur est pas accordée... Ils sont perpétuellement entourés, en famille, en bande, en internat, en colonie, au régiment – tout, sauf seuls !

Quoique souffrant d'un manque de présences (même pas un animal dans cette vaste maison), j'avais cette chance : des heures entières de complète solitude. Tout en en souffrant, quelque chose en moi faisait en sorte d'en tirer profit.

Soudain, le téléphone sonnait. Franchissant escaliers, couloirs, d'un bond j'étais dessus ! C'était Christiane, ou Jean-Claude, ou quelque autre... « Qu'est-ce que tu fais ? – Rien, et toi ? – Rien non plus... » Ces sortes d'échanges ne varient guère d'une génération à l'autre ! Et d'improviser une balade, une sortie, bientôt – et ce fut magique – d'aller au Racing où nous eûmes le privilège, mes amis et moi, d'être parrainés.

Ce qu'a pu être le Racing juste après la guerre pour les jeunes comme nous ! Sélect jusqu'au snobisme, ce club était situé au cœur touffu de ce bois de Boulogne que nous connaissions si bien, avec piscine, courts de tennis, restaurant. Nous n'utilisions que la piscine, mais à fond : dès le matin, les jours de soleil et d'été, on nous voyait allongés sur son bord, à faire exhibition de nos maillots. En fait, c'était notre jeunesse que nous exposions ainsi, à gogo, des heures durant, bronzant, papotant, nageotant... Plus encore qu'à Megève, je connus là des heures légères – la paix était revenue, je n'étais plus séparée de ma famille – avant l'inexorable entrée dans la vie adulte.

Après ma rencontre avec Jean-Jacques, c'en fut fini du farniente et du désœuvrement. Je n'éprouvais plus le besoin d'aller m'étaler sous le regard approbateur de jeunes gens qui m'étaient devenus indifférents. Sans compter que mon fiancé m'entraîna aussitôt sur la Manche et la Méditerranée, affronter des éléments qui laissaient loin derrière le bassin plat des piscines.

Pour ce qui est des bars, je ne me souviens pas d'y être allée avec Jean-Jacques. Il ne m'emmenait qu'au restaurant – toujours le même – où nous parlions indéfiniment. Ces sorties avaient lieu à l'heure du déjeuner ou du dîner du fait qu'elles étaient utilitaires – il faut bien manger –, donc permises. Tandis que les bars, ces lieux trop pénombreux pour qu'on puisse y lire et écrire, on n'y faisait à ses yeux qu'y perdre des heures précieuses, tellement mieux employées au travail !

Il n'était pas non plus dans ses manières de boire des cocktails, et je finis par oublier jusqu'au goût de mon préféré, l'*Alexandra* : boisson exquise, sucrée, crémeuse, que je n'allais plus guère déguster, entraînée que j'étais par mon « pilote » vers de plus fortes « eaux-de-vie ».

Pourtant, j'éprouve encore quelque nostalgie au souvenir de certains de ces bars parisiens si bellement aménagés, où la semi-obscurité entretenait un mystère qui à lui seul parlait d'amour, y incitait. Derniers hauts lieux de ma rêveuse jeunesse... Il en existe certes aujourd'hui dans tous les hôtels. Reste que la plupart des miens, ces suprêmes refuges contre la vraie vie, ont disparu en même temps que leurs derniers fervents, Fitzgerald, Hemingway, Blondin, Nimier, ces chevaliers de l'écriture qui eurent l'art de cultiver une rare forme d'élégance, celle qui rend les loisirs féconds...

Les premiers temps, on ne disait pas « après la guerre », mais « après la Libération ». D'autant qu'elle mit longtemps – plus d'un an – à s'accomplir, les combats se poursuivant d'une ville, d'un village, d'un lieu à l'autre jusqu'à la capitulation finale de l'Allemagne, en mai 1945.

Dès août 1944, la 2e DB commandée par le général Leclerc était entrée dans Paris où elle s'installa au pourtour du bois de Boulogne. Nous, les filles, allions rendre visite à ces jeunes hommes dont, pour quelques-uns, nous connaissions les familles. Les voir parader sous l'uniforme était une satisfaction si profonde qu'on en oubliait le reste. Qui pourtant demeurait lourd.

Les restrictions, elles, continuaient. On en était toujours au régime des cartes et des tickets, particulièrement pour l'essence. En tant que chef d'entreprise, ma mère bénéficiait d'un certain nombre de points ; je me dépêchai de passer mon permis et c'était à moi qu'il revenait le plus souvent de conduire sa voiture, enfin sortie du garage où elle était demeurée sous bâche.

Je me souviens de mes premières pérégrinations dans un Paris où la circulation était encore rare : y déboulaient en majorité des véhicules militaires et ceux, reconnaissables à leur aspect dépenaillé, des ex-FFI. Quant aux feux, ils étaient pratiquement inexistants. J'allais à l'aventure, pour commencer vers la Concorde, l'Opéra, Saint-Germain-des-Prés, peu à peu jusqu'à Montmartre et aux Buttes-Chaumont.

Si je m'égarais, trop timide pour demander mon chemin – longtemps j'ai vu un censeur en puissance (un succédané de ma « Miss » ?) dans chaque inconnu –, je tâchais de me repérer en prenant des rues en pente jusqu'à ce que je bute sur la Seine. En suivant le fleuve dans le sens du courant, je reviendrais forcément aux abords du Trocadéro, donc dans mon quartier.

Je n'avais guère revu mon père qui venait de s'installer rue de Rivoli avec sa nouvelle femme – la belle-mère, dite la « Béhème » –, et ma mère était plus occupée que jamais : il fallait que la maison de couture se refasse une clientèle chez les femmes qui en avaient les moyens – nouvelles riches, B.O.F., jeunes actrices (Micheline Presle, Danièle Darrieux...) – et aussi celles qu'elle avait naguère habillées chez Vionnet et qui rentraient en France, les mesures antisémites levées. Pas toutes : certaines femmes juives, comme Cécile de Rothschild, avaient disparu dans les camps.

« Ici, avait écrit Saint-Exupéry, parlant de la guerre d'Espagne, on fusille comme on déboise. » Nous avons connu ce lamentable déboisement durant l'occupation, puis à la Libération, et lorsqu'on découvrait les coupes sombres que la mort avait opérées autour de nous, souvent comme au hasard, on ne pouvait que s'estimer survivant.

Reconnaissant de l'être, sans doute, en même temps que saisi par une sorte de frénésie comparable à celle qui avait fait époque au lendemain de la guerre de 14.

Et, comme au temps des « années folles », cela se traduisait – pour le visible – par une recrudescence de musique, de danse et d'amour.

Commence alors la grande période des caves à Saint-Germain-des-Prés, celle du *Tabou*, de Juliette Gréco, des débuts du sartrisme, dite « philosophie de la liberté », et de ce qui en fut la conséquence immédiate : le débridement des mœurs... Est-ce à dire qu'on couchait de plus en plus ? En tout cas, c'était de plus en plus ouvertement. On ne se cachait pas non plus – femmes y compris – pour consommer de l'alcool. Il suffit de relire *La Force de l'Âge*, de Simone de Beauvoir, pour se rendre compte que chez la partie la plus avancée de la population, les freins avaient lâché... Puisqu'on n'était pas mort, il fallait vivre – et chacun avait sa conception de ce que c'était que vivre.

Toutefois, en ce qui me concerne, manquant d'adultes pour me guider et m'en fournir, je n'avais que peu d'informations sur les événements en cours – pas même sur ce qui se passait rive gauche où je ne mis les pieds que beaucoup plus tard, une fois mariée et devenue journaliste.

Je me contentais de me rendre aux nombreuses invitations entre jeunes, des soirées où notre comportement n'avait guère changé : on continuait, comme au temps de nos seize ans, à ne pas dépasser le stade du flirt. Reste que le cadre était différent : tenues de soirée, orchestres et non plus seulement électrophone, buffet somptueux et cérémonial qui ne l'était pas moins, avec valets et femmes de chambre en livrée.

Je me souviens de l'une, en particulier, donnée chez sa grand-mère, place des États-Unis, par Nathalie de Noailles, laquelle faisait partie de la « nouvelle bande », ma bande parisienne. Sous les lambris dorés, le spectacle évoquait Marcel Proust : « jeunes filles en fleurs » et grand luxe du « temps retrouvé ». Nous nous rendions aussi chez Lorraine Dubonnet, autre « copine » – le mot ne s'utilisait pas encore pour désigner nos fréquentations –, dans le magnifique immeuble que possédaient ses parents à Neuilly.

Je participais également à des surprises-parties plus modestes et, de ce fait, plus chaleureuses, comme celle que donna un garçon qui me plaisait un peu, dans le petit appartement de ses parents, rue Vineuse. Et c'est là, à l'improviste, que ma vie prit un tour qui se révéla définitif. Jean-Jacques, je ne sais comment, y avait été invité, et c'est en m'entraînant sur le balcon donnant sur cette petite rue grise de Passy qu'il entreprit avec moi une conversation telle qu'il savait les susciter et qui ne devait jamais finir.

C'était la troisième fois que je le voyais. Depuis notre premier contact à Megève, je ne l'avais rencontré qu'une autre fois, au mariage de Colette Mantout avec Francesco Parodi, célébré dans une église de Neuilly. Ce magnifique jeune homme en uniforme bleu foncé et portant sur sa poitrine les ailes américaines n'avait que peu à voir avec le garçon encore pataud de naguère. Me faisait face désormais un lieutenant d'aviation qui avait de quoi éblouir toutes les filles.

Et il en séduisit plus d'une ! Colette Rousselot, Marie-Pierre de Cossé-Brissac, parmi les plus courtisées des « debs » de l'après-guerre, n'étaient pas insensibles à son charme. Toutefois, j'avais l'orgueil et la naïveté, quand on s'intéressait à moi, de me croire la seule élue !

D'une certaine façon, c'était vrai. Comme Françoise Dolto m'en fit plus tard la remarque : « La jalousie n'a pas de sens, car ce qui se passe entre toi et un autre est unique et ne peut être comparé à ce qu'il peut vivre par ailleurs ; cela t'appartient et à toi seule... »

Ce qui eut lieu dans les jours, les mois qui suivirent la rencontre de la rue Vineuse, entre Jean-Jacques et moi, se révéla certes unique pour tous deux. Quelques semaines plus tard, nous étions fiancés. Un an plus tard, mariés.

On me demande souvent comment j'ai fait pour ne pas être jalouse d'un mari qui était loin d'être exclusif : c'est que, dès le début – et cela continue –, il a su me donner le sentiment que ce qui avait lieu entre lui et moi était sans équivalent, donc de l'ordre de l'absolu.

Non que j'ignore la jalousie. À plusieurs reprises, avec d'autres hommes, j'ai ardemment – bêtement... – brûlé dans ses flammes. Mais c'est que l'amour qu'on me portait n'était pas de l'ordre de celui que j'ai partagé avec Jean-Jacques : un amour qui vous assure et vous prouve qu'on est la préférée et aimée sans réserve.

Jamais Jean-Jacques ne m'a fait une remarque ni un reproche sur ce que j'étais ou n'étais pas. Il ne m'est pas venu à l'esprit de lui en faire non plus.

Au contraire, je tentais toujours de le défendre, le justifier aux yeux des autres lorsqu'ils l'attaquaient – ce qui lui est arrivé plus souvent qu'à son tour.

Maintenant que le temps a passé, en dépit du fait que nous avons divorcé et ne vivons plus ensemble, cette fidélité-là demeure.

L'étrangeté du nôtre m'a fait réfléchir sur les liens amoureux : il me semble que l'amour n'est vraiment l'amour que lorsqu'il ressemble à celui qu'une mère porte à son petit ; on prend l'autre tel qu'il est, et si l'on ne peut éviter de voir ses manques et ses défauts – on n'est ni aveugle ni imbécile ! –, cela ne change rien à l'attachement qu'on lui voue. Un sentiment « au-delà », à l'exemple de l'amour que Dieu, nous dit-on, porte aux hommes.

Ce qui m'amène à penser qu'il y avait sans doute chez ce jeune homme comme chez moi un élan mystique, lequel a trouvé à se renforcer chez l'autre. N'oublions pas que nous sortions de la guerre, de son absurdité cruelle, immonde. Nous ne pouvions plus aimer ce qu'on appelle « la Patrie » comme avait pu le faire la génération précédente : trop d'horreurs commises et endurées – et on se gardait de tout exhumer – entachaient pour nous son image.

D'autant que Jean-Jacques, contrairement à mon entourage, m'aidait à voir le réel en face : la collaboration, les dénonciations, la déportation, les massacres, la torture, il voulait que je sache ce qu'il savait. Écœuré par ces comportements déshonorants autant que féroces, il s'y opposait pour sa part de toutes ses forces et n'eut aucun mal à m'entraîner dans son rejet.

C'est alors que nous décidâmes d'un commun accord de quitter la France sitôt que nous serions mariés : pour vivre notre amour, nous voulions un monde neuf, innocent. Trois mois après notre mariage, qu'exprès nous avions exigé dans l'intimité pour protester contre un « retour à la normale », c'est-à-dire aux fastes d'avant-guerre qui nous paraissaient scandaleux – je n'acceptai d'exceptionnel que la robe créée pour moi par ma mère –, nous étions au Brésil.

Mais, là-bas comme ici, nous gardions les yeux et les oreilles grands ouverts, ce qui fait que nous nous aperçûmes très vite que la chanson, même colorée par la beauté du pays, était la même : l'ambition, l'avidité, la cupidité, le mensonge, l'exclusion y régnaient tout autant que dans notre vieille Europe « aux anciens parapets ».

Au bout d'un an d'essai d'immigration, conscients de l'inutilité d'insister, nous sommes revenus. Si nous voulions exister comme nous l'entendions, c'est-à-dire en donnant le meilleur de nous-mêmes, ce qui pour nous ne pouvait se faire que par l'écriture et la parole, il fallait nous battre sur notre terre d'origine, celle dont nous parlions la langue et qui avait sûrement besoin de nous : la France.

Nous sommes retournés les mains vides, sans autre argent que celui qu'allait gagner Jean-Jacques en écrivant de Paris pour les journaux brésiliens, puis pour le *Monde*, *Paris-Presse*... En 1953, il réussit à créer *L'Express* qui devint l'instrument de son combat pour la vérité. Le mien consistait à l'accompagner, tant qu'il s'avéra nécessaire, pour lui comme pour moi, que je me trouve constamment à ses côtés.

Nous avions un peu plus de trente ans quand chacun estima que le temps était venu, pour l'un et l'autre, de voler de ses propres ailes... Mais toujours vers le même horizon.

C'est Jean-Jacques qui va me ramener à Megève. Dès le premier hiver qui suit notre retour du Brésil, il s'enfièvre à l'idée de revoir ce qu'il n'a pas vu depuis longtemps : la neige.

Il tient aussi à m'emmener dans la maison de son enfance, *Nanouk*, et sur les pistes du mont d'Arbois, lieux de ses tout premiers exploits sportifs où il avait gagné quelques coupes.

Je ne m'étais guère approchée du chalet *Nanouk*, du moins en hiver. Un après-midi d'été, pendant la guerre, nous avions été conviés à une sorte de fête que donnait Mme Servan-Schreiber sur le pourtour du chalet : c'était pour célébrer la première communion de son dernier enfant, son fils cadet, Jean-Louis.

Sans doute était-il important, à l'époque, pour une mère qui n'était pas juive, de faire savoir que ses enfants étaient, comme elle, baptisés et catholiques. Le sujet ne fut ni soulevé ni discuté par ma tante qui se savait dans la même situation que Denise, et nous nous rendîmes avec élan à ce qui représentait, pour mes cousins et moi, une occasion de manger à satiété des plats hors de notre ordinaire, en particulier des gâteaux.

Depuis lors, le chalet *Nanouk* était resté pour moi un lieu d'agapes, d'accueil festif, quoiqu'un domaine fermé où je n'avais pas mes entrées.

Maintenant, non seulement le porte m'en était grande ouverte, mais Jean-Jacques me laissa entendre qu'en tant que sa femme, j'y étais pratiquement chez moi.

Ai-je vécu cette assomption comme une revanche, telle l'héroïne du roman *Rebecca* entrant en maîtresse dans le château de l'homme qu'elle vient d'épouser ? Je crois surtout que j'étais émerveillée de m'apercevoir qu'en suivant pas à pas Jean-Jacques, bien des portes que j'avais connues closes s'ouvraient devant moi comme par miracle.

À Megève aussi où, pendant la guerre, en dehors de trois ou quatre maisons familières, et de mon collège, je n'allais nulle part : les gens se méfiaient des intrusions, ne fût-ce que parce qu'ils hébergeaient des personnes non déclarées, parfois des résistants, des clandestins.

Jean-Jacques, lui, n'avait connu l'occupation que pour la fuir, en particulier à Paris, comme il l'a raconté dans le premier tome de ses mémoires, *Passions*. Trois ans plus tard, en dépit de quelques péripéties, c'est en vainqueur qu'il était revenu en France. Il en gardait l'assurance à l'américaine, et voulait me la communiquer.

J'en avais grand besoin : séquelle de l'occupation, en tous lieux je craignais de me faire rebuter, dans les bureaux, les administrations, face aux concierges des hôtels, et même chez les commerçants. Quelle n'était pas ma gêne si, ayant sonné ou toqué à une porte, elle ne s'ouvrait pas sur-le-champ ! Il me semblait que chaque passant me dévisageait comme si j'étais une intruse, quelqu'un dont on ne voulait pas dans cette maison-là ou qui s'apprêtait à commettre quelque mauvais coup.

Il me fallut des années pour oser m'avancer au-devant des autres avec confiance. C'est qu'être occupé par une force militaire ennemie, épaulée sur place par une police criminelle, amène à ne plus se sentir vraiment chez soi nulle part, à craindre perpétuellement, même si le danger n'est pas imminent, d'en être chassé, banni, déporté.

En revanche, à Megève où son père avait fait avant-guerre partie des pionniers de la station, Jean-Jacques se conduisait comme chez lui. Il m'entraîna dans les magasins me procurer des chaussures à mon pied, des skis et des bâtons, puis nous allâmes prendre le téléphérique dont il connaissait les employés qui l'appelaient « Jean-Jacques ».

Tout se détraqua sur les pistes ! Je m'y révélai débutante en comparaison de ce solide jeune homme qui dominait le sport depuis sa plus tendre enfance ! Je me souviens de sa patience, en fait de son amour : il me choisissait le terrain, m'aidait à me relever, m'embrassait pour me réconforter, me félicitait de mes progrès – longtemps inexistants ! –, puis m'entraînait boire du chocolat, déguster des tartes aux myrtilles...

Je crois qu'au fond de lui-même il pensait pouvoir me communiquer son savoir, comme il faisait dans les autres domaines où nous partagions pratiquement tout : les jugements, les idées, les sentiments, les projets, jusqu'à nos soucis ou nos succès familiaux... Avec quelle tendresse Jean-Jacques s'occupait de ma mère, lui écrivait – j'ai ses lettres –, venait applaudir à ses collections ! Il se préoccupait aussi de ma sœur qui, pour lui, faisait partie des siennes.

Alors, puisque lui-même l'était, pourquoi ne serais-je pas experte en ski ? Au Brésil, il avait même tenté de m'apprendre à piloter. Étais-je douée ? Il me le disait, bien sûr. Jean-Jacques vous encourageait dans tout ce que vous tentiez, en grand promoteur d'êtres qu'il était ! Comme nous avions quitté l'Amérique du Sud, son semis de minuscules terrains d'atterrissage et notre petit avion, je n'ai pas eu la possibilité d'aller jusqu'à décrocher mon brevet. Du moins avais-je déjà passé mon permis de conduire avant notre mariage et mon mari me laissait tranquillement le volant, inclinait en arrière le siège du passager, et s'y endormait.

Pour ce qui est de danser, ayant pu m'exercer, j'étais meilleure que lui. En natation aussi, bien qu'il se révélât plus résistant à l'eau froide, celle de Veulettes n'étant guère à plus de quinze, seize degrés. Il m'y entraînait quand même, s'occupait de me réchauffer ensuite.

Aucun homme, en fait personne ne m'a autant donné le sentiment que nous vivions la même vie.

J'étais convaincue que, s'il tombait, je tomberais ; s'il allait vers le haut, j'irais aussi. Il commença par une précoce réussite, puis me surprit en devenant un homme public.

Me croira-t-on ? J'aurais préféré que nous pussions poursuivre notre vie à deux, sans témoins, dans une simplicité qu'il prisait autant que moi – au début, nous ne voulions pour ainsi dire aucun bien matériel ; un seul luxe : une voiture, synonyme de liberté et de vitesse, Jean-Jacques étant infiniment pressé d'arriver au bout de tout.

Tout en restant en communion avec la nature. Quitter la ville, c'était notre façon d'échapper à un passé abominable pour l'Occident et à la prescience d'un avenir qui ne s'annonçait guère pacifié : guerre froide, mur de Berlin, guerre d'Indochine, bientôt l'horreur de l'Algérie, un conflit nouveau, honteux, dans lequel Jean-Jacques allait être pris.

À Paris, notre tranquillité diminuait de jour en jour, notre solitude aussi : mon jeune mari était happé par les événements, quand il ne les provoquait pas.

Mes meilleurs moments avec lui, je ne les vivais qu'au sommet des montagnes, sur des plages, dans la mer, au plus sauvage de la forêt limousine. Nos vrais jours de noces avec la vie...

Laquelle m'enseigna que je ne pouvais espérer garder cet homme-là pour moi seule. D'autres êtres allaient surgir dans son existence, laquelle devenait de plus en plus mouvementée. Les uns furent passagers, d'autres définitifs : ainsi ses enfants. Séquelles de ma tuberculose, je n'avais pas pu en avoir, lui en donner.

Jean-Jacques avait toujours aimé ses proches et il allait aimer ces nouveaux venus, certains passionnément. Et puisque nous étions inséparables – en fait, insécables –, je me mis à les aimer avec lui... Il s'y attendait.

Un jour à skis, sur le dernier plat du mont d'Arbois, sans raison apparente, lui, l'invincible, est tombé. Par malchance, son bâton s'est planté dans une neige durcie et lui a violemment heurté le menton. Je m'étonnai de le voir rester au sol, immobile, sans qu'il parût souffrir de rien, avant de lentement se remettre debout.

J'ai eu peur, d'autant plus que cette absence, un trou de mémoire, lui dura plusieurs heures. Puis je me suis dit : « De toute façon, hors du temps comme hors de l'espace, nous existons ensemble… »

C'est avec un drôle de sourire que les gens de ma génération se posent entre eux la question-clé : « Tu avais quel âge, toi, pendant la guerre ? » Si la réponse est : « Je suis né après », on se prépare à entendre : « Quelle chance tu as eue... » – en est-ce une ? –, mais la réplique est plus généralement : « Ah bon. » Puis on passe à autre chose. Toutefois, imperceptiblement, un fossé s'est creusé ; on a beau être à peu près de la même tranche d'âge, on ne se sent pas du même bord.

C'est que la Deuxième Guerre mondiale a été pour nous comme un big-bang. Quelque chose a explosé qui nous a projetés, tels des atomes, dans toutes les directions... Si certains étaient alors vraiment trop jeunes, cela s'est passé à travers leurs parents : dans l'heure même de la défaite, tout les Français sans exception se sont sentis ramenés au degré zéro de l'existence.

À partir de là, dans les jours qui ont suivi, chacun a dû décider de son nouveau sort, de sa voie, de son destin. Certains choix ont fait histoire : s'exiler, résister en suivant ou non de Gaulle, se cacher jusqu'à faire le mort, se mettre au service des vainqueurs, se suicider – c'est arrivé plus souvent qu'on ne l'a dit. Mais le plus important, à mon sens, s'est passé dans l'être intime, le for intérieur de chacun, la conscience individuelle qui en a été bouleversée.

Les plus faibles se sont repliés sur eux-mêmes, leurs fantasmes, leurs rêves, en somme leur jardin – au vrai (par le travail) comme au figuré.

D'autres, se sentant soudain libérés de leur famille, de leurs amours, de leur communauté – ce qu'ils souhaitaient en secret sans oser se l'avouer –, sont partis à l'aventure, au combat, dans la résistance, et, s'ils en sont revenus, disent avoir vécu là leurs meilleures années.

Il y a eu aussi les humiliés, les oubliés, qui, tous les cadres ayant explosé, leurs chaînes s'étant brisées, ont compris que le temps était venu pour eux de prendre leur revanche. Sans scrupules – est-ce qu'on en avait eu avec eux ? –, ils ont exploité la pénurie et la misère générale. Et se sont enrichis.

D'autres ont surtout cherché à acquérir ce pouvoir dont on avait usé, abusé contre eux, et ont saisi l'occasion inespérée qui leur était offerte par les Allemands, qui recrutaient des sbires, pour se venger en faisant à leur tour souffrir autrui. Qui que ce soit leur tombant sous la main qu'ils pouvaient malmener, assassiner – impunément, à ce qu'ils ont cru.

Bien d'autres cas encore ont pu se faire jour.

Nous, les enfants, les jeunes, n'étions pas au courant de cette formidable métamorphose de la société où nous étions nés, laquelle a lieu à l'identique dans tous les pays qui, de libres, se retrouvent soudain vaincus, occupés.

Toutefois, nous percevions le séisme à travers nos adultes. Ils étaient moins gais, moins sûrs d'eux, et, pour la plupart – pas tous – moins autoritaires. Les regards qu'ils jetaient sur nous nous semblaient à la fois anxieux et tendres. On aurait dit qu'ils pensaient moins à nous éduquer, désormais, qu'à nous préserver.

Paradoxalement, ce besoin de nous protéger consistait à nous laisser encore moins de liberté qu'avant. À Megève, j'ai eu le sentiment que mon encadrement familial et scolaire m'imposait les règles strictes héritées de l'avant-guerre. Peut-être pour s'y raccrocher eux-mêmes... Car si l'on continue à empêcher les jeunes de mettre les coudes sur la table, c'est que le monde – celui des bonnes manières – est encore en place, et quand des valeurs aussi futiles persistent, c'est le signe que rien de tout à fait affreux ne saurait advenir...

De même, nous empêcher de faire l'amour avant le mariage semblait affirmer que du meilleur nous attendait avec le temps, que nous avions un avenir.

Donc, eux aussi ! Les enfants servent à cela : à rassurer les parents quand la vie paraît menacée, et je crois qu'à cet égard, nous avons bien joué notre rôle.

Les plus efficaces étaient ceux qui avaient le toupet de se montrer exigeants, insupportables, capricieux, colère. N'était-ce pas l'indice que la vie « normale » continuait ? Et les parents, tout en faisant mine de réprimer l'insubordination, y puisaient motif à se réjouir.

En vérité, notre société, sans bien encore s'en rendre compte, venait de faire une découverte capitale, terrifiante : c'est que les corps sont des objets.

Le bébé s'en aperçoit tout de suite, manipulé qu'il est par la sage-femme, par la mère, la nourrice, le médecin... Mais, en grandissant, en devenant physiquement autonome, on s'imagine acquérir la liberté de se faire soi-même du bien – ou du mal –, de pouvoir s'échapper, s'enfuir...

Or, quoi qu'on fasse – et dans les situations de guerre, c'est l'évidence même –, le corps ne peut disparaître, devenir invisible : *l'homme est un objet pour l'homme* et, en tant que tel, se trouve à sa merci.

Les plus résistants – ces courageux qui combattaient pour affirmer leurs idées et leur sens de la liberté – ont pu être arrêtés, torturés comme des « choses ». Leur seule façon d'échapper était de se suicider, ce qui n'est pas toujours donné.

Souvent j'ai eu aussi cette tentation qui taraude tout adolescent ; je me disais : « Si cela devient trop dur, je me tue ! » Cette pensée me réconfortait et j'avais raison : la seule manière de demeurer un sujet, quand les circonstances paraissent par trop intolérables, c'est de ne plus avoir de corps-objet...

En même temps, c'est par lui, grâce à lui qu'on connaît les plus grandes jouissances et aussi la vraie joie. Nos cinq sens sont sans cesse en alerte pour tirer de notre environnement sensations et plaisir... Quand je repense à Megève, je vois surtout la neige, sa brillance, son cristallin silence. Un oiseau chante parfois, un pas crisse, un stalactite se détache d'un toit, quelqu'un appelle, une autre voix répond... Quelle pureté dans mes poumons, quelle fraîcheur sur ma peau ! Quelle beauté !

À Megève j'ai aimé avoir un corps, j'ai appris à l'écouter, le respecter, l'accepter dans son vivant destin.

Oui, l'adolescence est comme une éponge, on absorbe tout – quitte à en expulser la plus grande part, pressé qu'on est par une main féroce : la survenue de l'âge adulte.

Toutefois, on a profité de ce que nous a donné, volontairement ou à son insu, bon ou mauvais, chacun de ceux que nous avons rencontrés, pour en tirer de quoi grandir.

J'ai grandi.

DU MÊME AUTEUR

Un été sans histoire, roman, Mercure de France, 1973 ; Folio, 958.

Je m'amuse et je t'aime, roman, Gallimard, 1976.

Grands Cris dans la nuit du couple, roman, Gallimard, 1976 ; Folio, 1359.

La Jalousie, essai, Fayard, 1977 ; rééd., 1994.

Une femme en exil, récit, Grasset, 1979.

Un homme infidèle, roman, Grasset, 1980 ; Le Livre de Poche, 5773.

Envoyez la petite musique..., essai, Grasset, 1984 ; Le Livre de Poche, « Biblio/essais », 4079.

Un flingue sous les roses, théâtre, Gallimard, 1985.

La Maison de jade, roman, Grasset, 1986 ; Le Livre de Poche, 6441.

Adieu l'amour, roman, Fayard, 1987 ; Le Livre de Poche, 6523.

Une saison de feuilles, roman, Fayard, 1988 ; Le Livre de Poche, 6663.

Douleur d'août, Grasset, 1988 ; Le Livre de Poche, 6792.

Quelques pas sur la terre, théâtre, Gallimard, 1989.

La Chair de la robe, essai, Fayard, 1989 ; Le Livre de Poche, 6901.

Si aimée, si seule, roman, Fayard, 1990 ; Le Livre de Poche, 6999.

Le Retour du bonheur, essai, Fayard, 1990 ; Le Livre de Poche, 4353.

L'Ami chien, récit, Acropole, 1990 ; Le Livre de Poche, 14913.

On attend les enfants, roman, Fayard, 1991 ; Le Livre de Poche, 9746.

Mère et filles, roman, Fayard, 1992 ; Le Livre de Poche, 9760.

La Femme abandonnée, roman, Fayard, 1992 ; Le Livre de Poche, 13767.

Suzanne et la province, roman, Fayard, 1993 ; Le Livre de Poche, 13624.

Oser écrire, essai, Fayard, 1993.

L'Inondation, récit, Fixot, 1994 ; Le Livre de Poche, 14061.
Ce que m'a appris Françoise Dolto, Fayard, 1994 ; Le Livre de Poche, 14381.
L'Inventaire, roman, Fayard, 1994 ; Le Livre de Poche, 14008.
Une femme heureuse, roman, Fayard, 1995 ; Le Livre de Poche, 14021.
Une soudaine solitude, essai, Fayard, 1995 ; Le Livre de Poche, 14151.
Le Foulard bleu, roman, Fayard, 1996 ; Le Livre de Poche, 14260.
Paroles d'amoureuse, poésie, Fayard, 1996.
Reviens, Simone, suspense, Stock, 1996 ; Le Livre de Poche, 14464.
La Femme en moi, essai, Fayard, 1996 ; Le Livre de Poche, 14507.
Les Amoureux, roman, Fayard, 1997 ; Le Livre de Poche, 14588.
Les amis sont de passage, essai, Fayard, 1997 ; Le Livre de Poche, 14751.
Un bouquet de violettes, suspense, Stock, 1997 ; Le Livre de Poche, 14563.
La Maîtresse de mon mari, roman, Fayard, 1997 ; Le Livre de Poche, 14733.
Un été sans toi, récit, Fayard, 1997 ; Le Livre de Poche, 14670.
Ils l'ont tuée, récit, Stock, 1997 ; Le Livre de Poche, 14488.
Meurtre en thalasso, suspense, Stock, 1998 ; Le Livre de Poche, 14966.
Défense d'aimer, Fayard, 1998 ; Le Livre de Poche, 14814.
Les Plus Belles Lettres d'amour, Albin Michel, 1998.
Théâtre I, En scène pour l'entracte, Fayard, 1998.
Théâtre II, Combien de femmes pour faire un homme ?, Fayard, 1998.
La Mieux Aimée, roman, Fayard, 1998 ; Le Livre de Poche, 14961.
Cet homme est marié, roman, Fayard, 1998 ; Le Livre de Poche, 14870.
Si je vous dis le mot passion..., entretiens, Fayard, 1999.

Noces avec la vie

Trous de mémoire, essai, Fayard, 1999 ; Le Livre de Poche, 15176.
L'Indivision, roman, Fayard, 1999 ; Le Livre de Poche, 15039.
L'Embellisseur, roman, Fayard, 1999 ; Le Livre de Poche, 14984.
Divine Passion, poésie, Fayard, 2000.
J'ai toujours raison, nouvelles, Fayard, 2000 ; Le Livre de Poche, 15306.
Jeu de femme, roman, Fayard, 2000 ; Le Livre de Poche, 15331.
Dans la tempête, roman, Fayard, 2000 ; Le Livre de Poche, 15231.
Nos jours heureux, roman, Fayard, 2000 ; Le Livre de Poche, 15368.
La Maison, récit, Fayard, 2001.
La Femme sans, roman, Fayard, 2001.
Les Chiffons du rêve, nouvelles, Fayard, 2001 ; Le Livre de Poche, 15553.
Deux Femmes en vue, roman, Fayard, 2001 ; Le Livre de Poche, 15421.
L'Amour n'a pas de saison, Fayard, 2002.
Nos enfants si gâtés, roman, Fayard, 2002.
Callas l'extrême, biographie, Michel Lafon, 2002.
Conversations impudiques, essai, Pauvert, 2002.
Dans mon jardin, récit, Fayard, 2003.
La Ronde des âges, roman, Fayard, 2003.
Mes éphémères, Fayard, 2003.
L'Homme de ma vie, Fayard, 2004.

www.madeleine-chapsal.com

Achevé de composer par
PARIS PHOTOCOMPOSITION
75017 Paris

Impression réalisée sur CAMERON par
BRODARD ET TAUPIN
La Flèche

pour le compte des Éditions Fayard
en octobre 2004

Imprimé en France
Dépôt légal : octobre 2004
N° d'édition : 52020 – N° d'impression : 26325
ISBN : 2-213-61601-9
35-33-1801-6/01